クジラのおなかに入ったら

松田純佳 著

ナツメ社

はじめに

日本では年間約３００件、クジラやイルカの死亡報告がある。毎年ある。北海道では年間約60件ある。私の研究は、何らかの原因で死んでしまった野生のイルカやクジラをつぶさに調査することで成り立っている。

北海道ではストランディングネットワーク北海道（ＳＮＨ）という、打ち上がったクジラやイルカの情報を集めている団体がある。私は大学2年生の頃からその活動をお手伝いさせていただいており、たくさんのデータを集めさせてもらった。毎回の調査はいちいちドラマティックで、何かしら事件が起こっている。例えば、調査しようとしたクジラがガスで破裂しそうになって焦ったり、イルカの死体を車に載せたまま雪道で動けなくなってしまい、助けに来てくれた業者さんを驚かせてしまったり、本書のタイトルどおり、実際にクジラのおなかに入ったこともある。ピノキオみたいにゼペットさんには会えなかったけど。

死んだクジラやイルカのもつ情報は未知数だ。まさか自分がクジラの新種の発見に関われるなんて、幼い頃の私は想像していただろうか。

私の研究テーマは、「クジラやイルカがいったい何を食べているか」だ。

私がおもに使っている手法は、死んでしまった個体の胃を開いて、何を食べていたかを調べるというとても単純な方法だ。胃の中から魚やイカが、消化されてドロドロになった状態で出てくる。つまり、見た目ではなかなか餌の種類がわからないのである。クジラやイルカに興味があって、何を食べているかを調べているわけだが、最近は餌の魚やイカのことを考えている時間のほうがたぶん長い。

クジラやイルカの死体の調査をすることで、ドキドキしたりワクワクしたり、悲しくもなったり、ときには怒ったり、自分の不甲斐なさに気分が沈んだり、もどかしくなったりもしたけど、研究を進めていく中で、理解できたとき、発見したときの喜びを体験した。

この本では、私がイルカやクジラの研究を始めるきっかけとなった出来事から、博士論文を提出し博士になり、そしてその後どう生きていくか、を綴らせていただいた。

この本が読者の方にとって何かのきっかけになるととてもうれしい。また、クジラやイルカ、魚やイカといった海洋生物に興味をもっていただけるとさらにうれしい。

何より、漂着したクジラやイルカを見つけた方に、そういえばこの死体を研究している人たちがいるんだ、連絡してみよう、と思っていただけたら、だいぶうれしい。

CHAPTER 4 イルカの種類によって餌が違う？

CHAPTER 5 まだまだ続くよ研究は

CHAPTER 6 ストランディングの研究機関をつくる

コラム

■ 北海道略地図

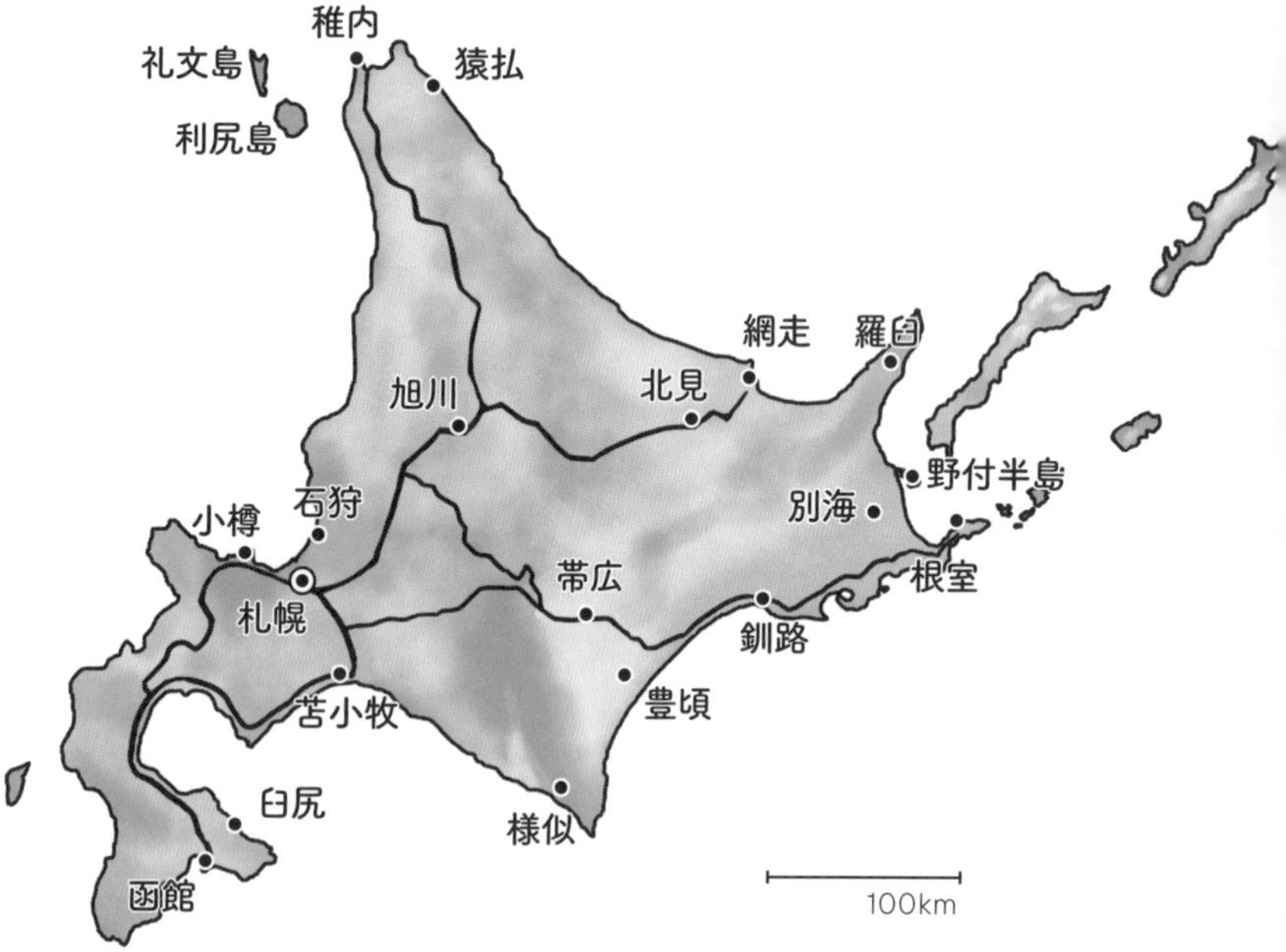
稚内
礼文島
猿払
利尻島
網走
羅臼
北見
旭川
野付半島
別海
石狩
小樽
帯広
根室
札幌
釧路
苫小牧
豊頃
臼尻
様似
函館
100km

CHAPTER 1

イルカやクジラを研究するということ

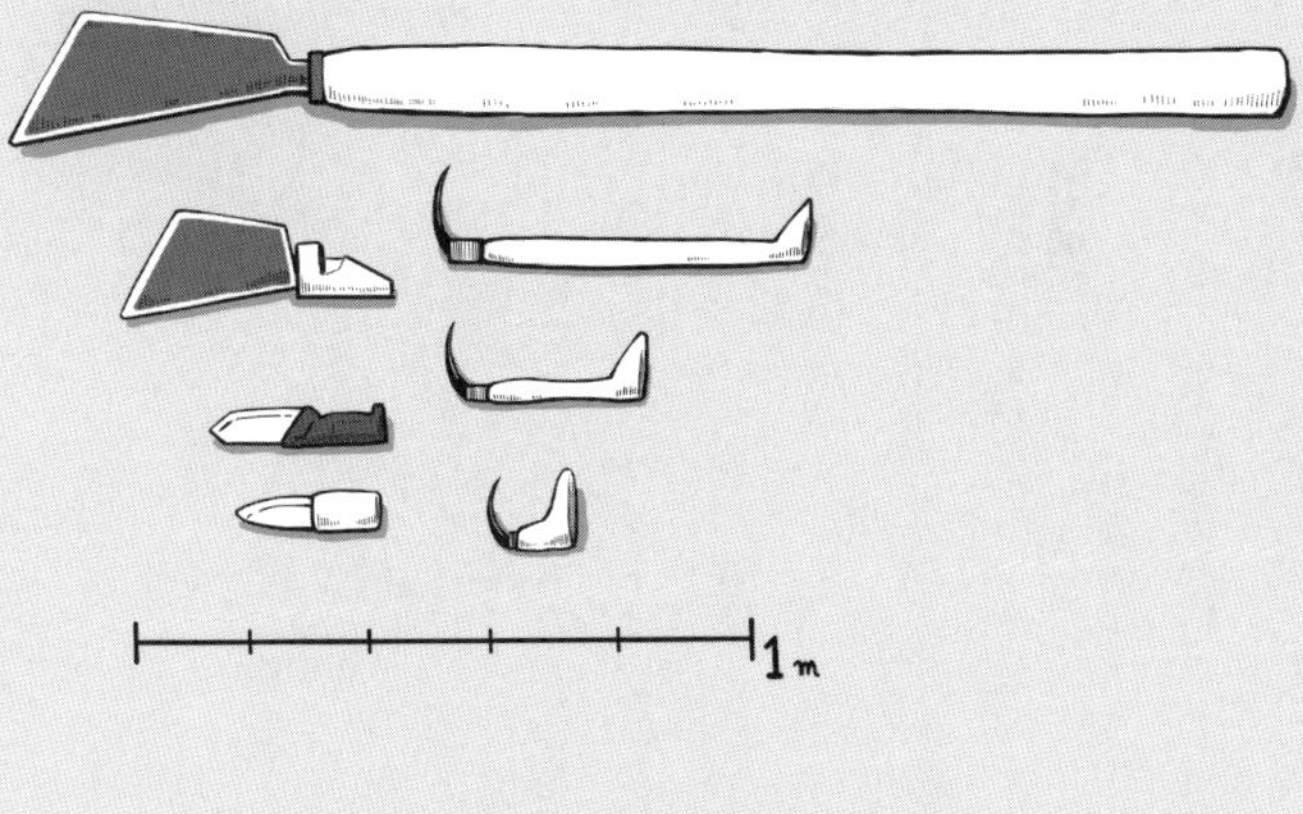

クジラを調べに東奔西走

山のような巨体が震えている。思わず後ろに飛びのいた。「ちょっと待ってどうすればいいの！」山の上からは後輩の悲痛な叫び。

マッコウクジラの死体は腐敗によって内部にガスがたまってしまっていて、どうやら破裂寸前だった。「ちょっとどうしようもないや、耐えて！」と下から叫んだ。後輩はつかむ場所もないマッコウクジラの死体の上で、仕方なくそのマッコウクジラにしがみついていた。でも、そもそも破裂しそうなマッコウクジラにしがみついても、破裂しちゃったらどうしようもないなぁなんて、変に冷静に考えている自分もいた。

２０１９年７月、私たちは北海道猿払《さるふつ》村にいた。猿払村は日本最北端、稚内《わっかない》の東側に位置する、ホタテが有名な海沿いの村だ。その海岸に全長16mを超える、オスのマッコウクジラが打ち上がっていた。マッコウクジラの調査を行うために、函館から車で９時間もかけて猿払村まで来ていた。クジラが浜に打ち上がったとき、その処分を行うのは基本的に市町村だ。腐敗していると、その臭いの強烈さから住民からの苦情もあるし、処分を行う業者さんの都合もある。われわれは基本的に、その処分の間に調査をさせてもらっているので、現場によって調査可能な時間はさまざまである。今回私たちに与えられた調査の時間は3時間。マッコウクジラを解体するには足りないどころの話ではない。

できる限りのことをするために、まずは外部計測や写真撮影を行う。腐ったマッコウクジラの皮膚はつるつるすべり、体に上ることも難しい。身軽な後輩が、のんこ（クジラ鉤《かぎ》）をクジラの皮膚に引っ掛けながらなんとか上ってくれて、地上からは見えない位置にある胸びれなどの計測をしていた。胸びれだけでもとても

ストランディングしたマッコウクジラ（SNH19022/撮影：伊藤慶造）。なお、SNHはストランディングネットワーク北海道が集めているストランディング情報のID。

大きく、体長１３０㎝のネズミイルカ１頭くらいは余裕で乗ってしまう大きさだ。

急いでいた私は、おなか側から刀を入れた。じつはこのとき、マッコウクジラの厚い脂皮の下にはガスがたまっていて、私たちが切れ目を入れたことで、おなかにたまったガスが噴き出し、腸が外に飛び出しそうになってしまった。

そのときは幸い大きく破裂することはなかったので、後輩も事なきをえた。マッコウクジラの破裂といえば２００４年に台湾で起こった事例が有名だ。マッコウクジラの死体運搬中に道路で破裂して、周囲の店先や道路に血や内臓が飛散したそうだ。

シュ――――とガスが抜けきるのを確認してから、私たちは3時間でできる限りの調査を行おうと必死だった。腹腔から胃に到達し、胃内容物をかきだす。すると出てくる出てくる、大量のイカのクチバシだ。準備していたボールやザルを使って、私はクジラのおなかに手を突っ込んでひたすらにかきだした。胃に到達した頃に時間切れとなり、調査は終わりにせざるをえなかったが、最終的には14L分のイカのクチバシをサンプリングできた。

日本の周りのマッコウクジラの食性は、まだまだわかっていないことが多いので、とても大事な標本だ。何を食べているか、あとでゆっくり調査するのがとても楽しみになった。危ない思いをした後輩には申し訳ないけど、いい調査だったな……なんて思った。調査後、猿払村の特産物であるホタテを食べた。直径4㎝くらいもあるブリブリのホタテだ。調査後の疲れもあってか、めちゃくちゃに甘く、おいしいホタテでうっとりしてしまった。

打ち上がったイルカやクジラの調査は、思いどおりにいかないことも多いし、予想外の展開がよく起こる。しかしその一つ一つに意味があり、その一つ一つを積み上げていくことでようやく研究につながっていく。いつ打ち上がるのかわからないイルカやクジラを待ちながら、打ち上がったら可能な限り調査を行い、標本を積み上げる。これが私の日常だ。

日本周辺は、イルカとクジラ天国

イルカとクジラというのは俗称だ。イルカというイルカはいないし、クジラというクジラもいない（サカナというサカナがいないのと同じように）。だいたい体長4m以上をクジラ、それより小さい場合をイルカと呼んでいるだけだ。生物にはそれぞれ種名がある。例えばわれわれに付けられている種名は、「ヒト」だ。

水族館で華麗なジャンプを見せてくれる、ショーによく登場するあのイルカの多くは、ハンドウイルカやカマイルカという種類である。ハンドウイルカはじつは体長3mほどにもなる。でかい。よく考えてみてほしい。３ｍもの巨体で、あんなにも飛んだり跳ねたりしているのだ。

カマイルカは２ｍよりちょっと大きいくらいで、ハンドウイルカとカマイルカが両方いるショーを見ていると、カマイルカがとても身軽で小さく見えることだろう。しかし２ｍだって大きい。ＮＢＡ選手全体の平均身長が１９８㎝（２０１９～２０２０年）らしいので、カマイルカはだいたいＮＢＡ選手よりちょっと大きいくらいだ。

ハンドウイルカは、ザ・イルカという感じがすると思う。ザ・イルカを思い浮かべてみていただきたいが、その顔にはきっとクチバシがあるのではないだろうか。日本ではイルカとしか呼ばないが、英語ではイルカは大きく二つに分けられる。クチバシがあるイルカが「dolphin（ドルフィン）」で、クチバシのないイルカが「porpoise（ポーパス）」と呼ばれる。クチバシがないイルカには関西や九州でよく見られるスナメリや、北海道でよく見られるネズミイルカが含まれる。

ではクジラにはどんなイメージが湧くだろうか。

どちらかというと南の海で、大海原を悠々と泳ぎ、不思議な声で鳴いている。たまにその巨体をひるがえして、大きな波を立ててジャンプする……そんな印象がないだろうか。

　生物学的にいうと、イルカもクジラも同じ鯨偶蹄目《くじらぐうていもく》の中のクジラ亜目というグループに属する。クジラ亜目のことを、鯨類《げいるい》といったりもする。鯨類の中にヒゲクジラ下目とハクジラ下目があり、口の中にヒゲ板があるか、歯があるかで分類されている。前述したハンドウイルカやカマイルカは口の中に歯がある、ハクジラの仲間だ。そして一般的によくイメージされるクジラの多くは、口の中にヒゲ板をもつヒゲクジラの仲間である。ただ、大きいクジラのすべてがヒゲクジラではない。冒頭にも登場したマッコウクジラは、ハクジラの仲間。ついでにいうと、皆が大好きなシャチも、ハクジラの一種

ハンドウイルカとカマイルカは両方ともマイルカ科のハクジラ。ハンドウイルカは体型がずんぐりしていて、くちびるは太くはっきりしている。カマイルカはストライプ状の体の模様とカマのような形の背びれが特徴。

だ。

今、世界では91種の鯨種が確認されている。そのうち日本周辺では、なんと41種もの鯨類が確認されている。ご存じのとおり、日本は南北に細長く、四方を海に囲まれた島国だ。オホーツク海、日本海、太平洋、瀬戸内海、東シナ海とさまざまな海域に面している。そのため多くの鯨類を確認できる。こんなにもさまざまな種類の鯨類が、日本の周りの海にいることを知らない人は多いのではないだろうか。

実際、海の近くで育った私も、大学に入るまでは、イルカやクジラが生きるのは遠い海の話だと思い込んでいた。この本の読者の方が海のそばにお住まいであれば、きっとその近所の海にはイルカやクジラが来たことがあると思う。海はつながっていて、彼らは日本の周りを回遊していることが多いのだから。

クジラやイルカの研究を始めて、こんなにも簡単に会えていいんだろうかと拍子抜けするくらい、近くの海に多くの海棲哺乳類が暮らしていることを知った。津軽海峡にはカマイルカやネズミイルカ、イシイルカが来遊し、おたる水族館の海獣公園にいるトドの何頭かは、時化《しけ》の日に海からプールにやってきた野生個体らしい。

イルカやクジラ、トドやアザラシは、きっと、かわいい、とか、かっこいい、と思われ

●ヒゲクジラ

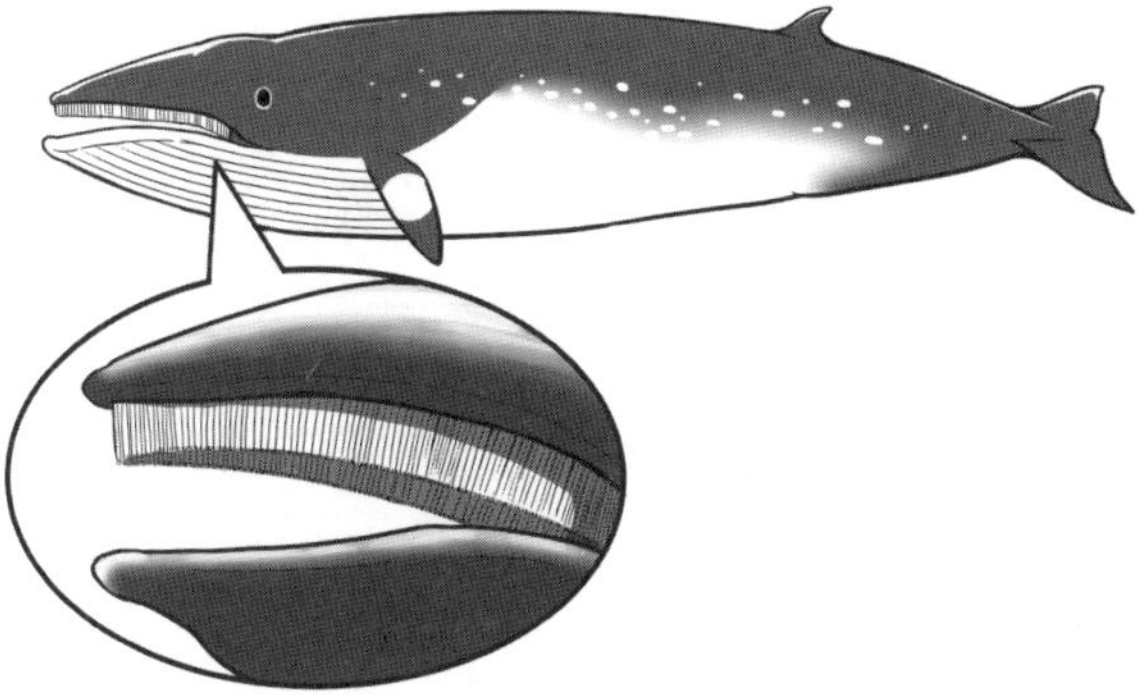

●ハクジラ

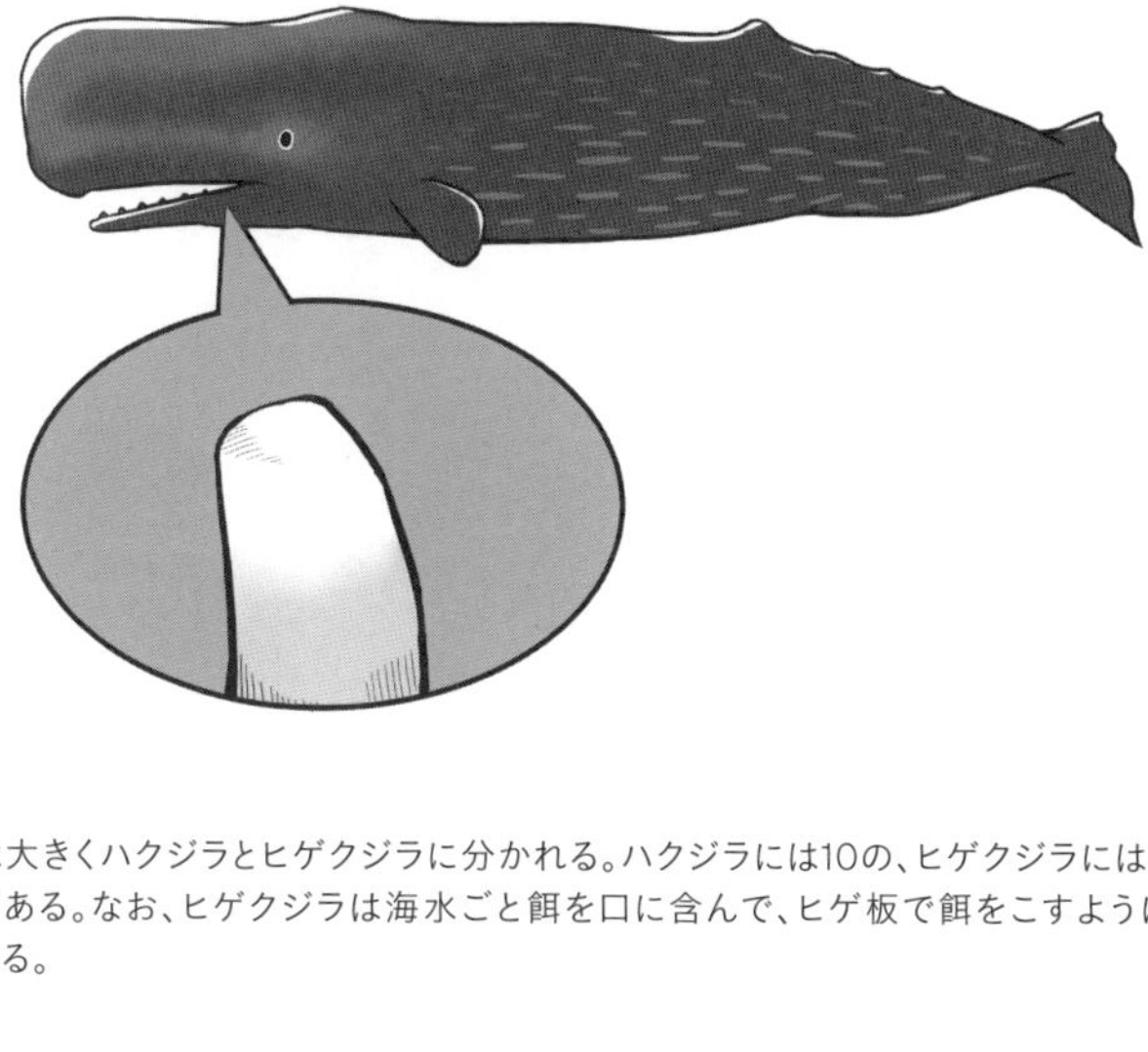

鯨類は大きくハクジラとヒゲクジラに分かれる。ハクジラには10の、ヒゲクジラには4つの科がある。なお、ヒゲクジラは海水ごと餌を口に含んで、ヒゲ板で餌をこすようにして食べる。

ていることが多いだろう。私の印象も最初の頃はそうだった。でも、かわいいだけだろうか。実際に海に暮らす人々にとってはやっかいものになることだってある。漁師さんにとっては、例えば網に誤って入ってしまう混獲や、漁獲物を食べられてしまうといった被害も考えられる。死体が打ち上がれば、それは腐った肉塊であり、腐臭を放つ。これもきっと近所に暮らす人々にとっては、もしくはそれを処分しないといけない市町村にとっては、やっかいものだろう。釣りをする人は、イルカが見えると魚が釣れないと言っていることが多い。彼らにとってもイルカは決して癒やしではない。

イルカやクジラについて考えると、見る人の立場によって抱く感情はさまざまである。

イルカ・クジラ研究の種類

イルカやクジラの研究分野はいくつかの種類に分けられることが多い。日本で行われている鯨類の研究にはどんな種類があるだろうか。

例えば鯨類を資源として捉える考え方がある。日本は古くから捕鯨をしているので、鯨類も人間の利用する資源の一つであると捉え、調べる人たちがいる。どこに何がいるのか、どれくらいの数がいるのか、何歳の個体が多いのか、ということなどを捕鯨個体を用いて調査する。その結果は持続的な資源の利用のために用いられている。

鯨類の体がどうなっているか、について調べる人たちもいる。解剖学と呼ばれる分野である。解剖という言葉は難しい。本当に解剖をしている人というのはとても少ないのだ。筋肉や骨格、神経などの構造を少しずつ明らかにしていくその技術は、一朝一夕《いっちょういっせき》で身に付けられるものではない。例えば郡司芽久さんが執筆された『キリン解剖記』（ナツメ社）の中にも、「解剖」とは、じっくりと時間をかけ、筋肉の配置や筋繊維の走行を記録するような作業のことだ、と記載がある。私が打ち上がったイルカやクジラの調査をするときに行っているのは、ただバラバラにしているだけなので、解体と呼ばれるものだと思う。

鯨類の行動を調べている人たちもいる。イルカたちが水族館の中でどのような行動をしているか、飼育個体の間にどのような関係性があるかをさまざまな方法で観察する。

もちろん野生個体の行動を研究する人たちもいる。定住するタイプのイルカたちを根気強く見分けて、野生下でのイルカたちの関係を明らかにしている。行動研究の中にはバイオロギングと呼ばれる手法を用いた研究もある。野生個体に標識や衛星発信機を装着して放し、その後どこへ行くのか、どのくらいの深さまで潜るのかなどを明らかにする。

イルカやクジラは音を使ってコミュニケーションを取るため、水中に発せられている音を録音する研究もある。また、どうやってその音を出しているのか、どうやって聞いているのか、というのも研究テーマになる。

私が行っているのは、打ち上がったイルカやクジラが生前どんな生活を送っていたか、を考える分野だ。何を食べ、どう生きていたのか。その生物の特徴のようなものを明らかにしていく研究である。

ほかにもさまざまな分野がある、生理学とか獣医学とか博物学とか遺伝学とか汚染物質の研究とか、一言でくくることは難しいけれど、今は日本各地でさまざまな鯨類研究がなされているのだ。かつては日本で鯨類の研究を行うことはとても難しかったのだという。鯨類をテーマにした研究室がほぼなかったからだ。その点、私たちはけっこうラッキーな世代なのだと思う。鯨類の研究ができる研究室が今や日本にはたくさんある。

もし、この本の読者の中に、将来鯨類の研究をしたい！　という人がいるならば、今どんな研究が行われているのか、自分が鯨類の何を知りたいのか、どんな研究をしたいのか、ぜひ精一杯調べて選んでほしい。専門分野を究めることも大切なことだが、分野を超えた研究というのも、きっとおもしろいと思う。

イルカやクジラはその一生を海の中で過ごす。なかなかずっと見ていることはかなわない。洋上で船に乗ってイルカやクジラを探していても、多くの場合、見えるのは体の一部だけだ。盛大にジャンプして、全身を見せてくれることはじつは少ない（種類にもよる）。あと船のすぐ近くで見ることができるなんて稀《まれ》だ。はるか遠くの小さな点を双眼鏡で見て、「あれがイルカだよ」と言われても最初のうちは、「はて？」と思うだろう。

死体になって打ち上がった場合は、しっかりと観察することができる。これが、私が打ち上がった鯨類を研究対象にしている大きな理由だ。打ち上がった鯨

目視でクジラを見分けるには慣れが必要。

類であれば、体の隅から隅まで調査することができるのだ。

ストランディング調査について

私がおもに行っているストランディング調査について紹介したい。

ストランディングという言葉は耳慣れない言葉かと思う。ストランディング（stranding）とは、strandの動名詞形で、陸に乗り上げてしまった状態を指す。日本ではストランディングという言葉で、漂着・座礁・混獲・迷入を表すことが多い。ニュースを見ていると、よく漂着と座礁という言葉が出てくるが、あいまいに使用されている印象を受ける。専門家の間では、漂着とは沖で死んだ個体の死体が打ち上がることをいい、座礁とは生きたまま浜辺に打ち上がってしまうことを指すことが多い。混獲とは漁師さんの網に海棲哺乳類が誤って入ってしまうことをいい、迷入とは漁港や河川に迷い込んでしまうことをいう。

死んだクジラやイルカが打ち上がっているというニュース映像を見たことのある人は多いと思う。私たちは、この打ち上がったクジラやイルカを研究に使っている。

クジラの死体の調査をするには捕獲して調査するか、ストランディングした個体を調査

するかの二択になる。捕獲の場合は、決められた種を決められた海域で、決められた時期に、決められた数、捕獲することになる。捕獲調査ができるのは人が利用すると決めた種類だけだ。日本ではミンククジラやツチクジラ、イシイルカなどが捕獲されている。

しかし、日本の周りには40種以上の鯨類が棲息している。捕獲されないような種類の死体の調査をするには、ストランディング調査しか方法がない。ただ、何頭打ち上がるかは打ち上がってみないとわからない。研究を進めるうえでは博打的だが、どんな種類でも、どんな海域でも、どんな時期でも調査することができる、というのが重要だ。

ストランディング調査では、ネズミイルカやスナメリ、オウギハクジラやコマッコウなどの、生物学的情報があまり集まっていない種類の死体をじっくりと調査することができる。また、捕獲の許可されていないような海域や時期に、捕獲種（ミンククジラやツチクジラ）が打ち上がったとき、その個体のもつ情報はとても重要だ。

打ち上がるまでひたすら待つ調査にはなるが、意義はとても深い。ストランディング個体から、新種が見つかることだってあるのだ。

調査はまず、死体が打ち上がっているという連絡をもらうことから始まる。そう、まずは死体を集めている人がいることを、住民の方に知ってもらうことから始まるのだ。きっ

とその地域の人たちにとってはイルカやクジラが打ち上がることは大昔から続いてきた事象だ。だから、まずはその人たちに、私たちはイルカやクジラの死体の調査をしているのです！　ということを知っていてもらう必要がある。

北海道では２００７年に、ストランディングネットワーク北海道という団体が設立された。代表は、私の指導教官である松石隆教授だ。私も学部２年生の頃からネットワークに入り、調査に関わらせてもらっていた。おかげ様で最近はごひいきにしてくださっている漁業者の方や地域住民の方も増えてきて、見つけたら連絡がもらえる体制が整ってきたように思う。近年はＳＮＳの発達により、Ｔｗｉｔｔｅｒなどで連絡をくれる方もいる。

また、実際に漂着した鯨類を処分する市町村の方々も、イルカやクジラが打ち上がったら北大さんに連絡する、となんとなく思ってくださっているようだ。連絡をもらえないとわれわれの調査は成り立たないので、本当にありがたい。

調査の話に戻そう。連絡をもらったら次に考えることは調査に行けるかどうか、だ。体長２ｍくらいの個体であれば、拾って回収して大学で調査する。それ以上だと基本的には現場での調査となる。

体長２ｍを超えると、運ぶことがとても難しくなるのだ。連絡をくれる人はいつもメ

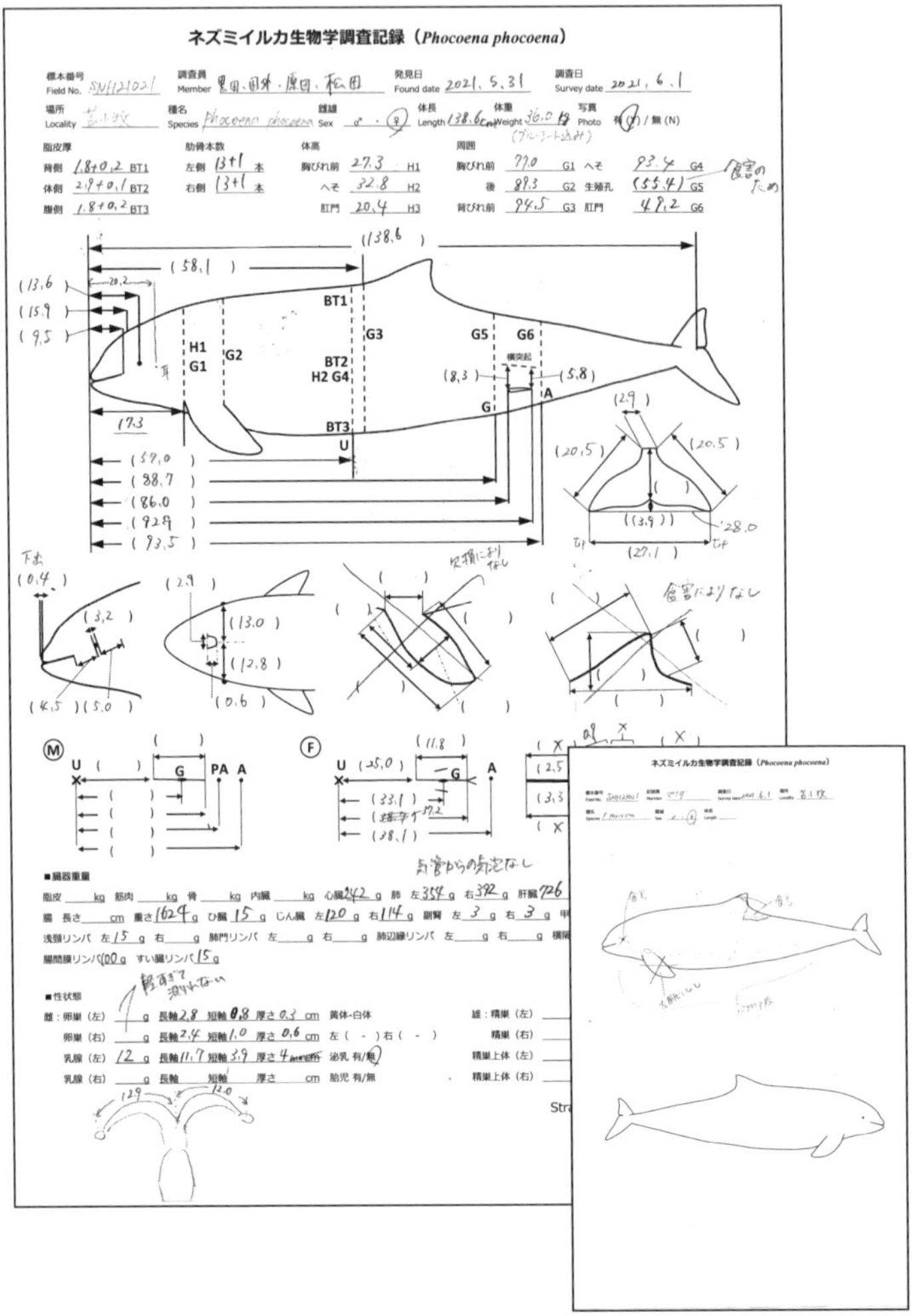

スケッチ実物と計測用紙。計測用紙の各項目を埋めていく。

ジャーをもっているわけではない。そして大きな空の下で見ると、どうやら物は小さめに見える傾向にある。「イルカが打ち上がっています、１・５ｍくらいです」という連絡が入ったときは要注意だ。だいたい１・５ｍではすまない。１・５ｍだと思って現場へ行くと、だいたい２ｍであることが多い。２ｍのイルカは、種類によるが、体重が１００㎏くらいある。１００㎏のイルカを例えば女子学生二人で運ぶことは不可能だ。

　１ｍくらいのイルカが打ち上がっていると言われ、先生と後輩と私で拾いに行ったことがある。しかし現場につくと、まるまると太った２ｍを超えるイシイルカが転がっていた。３人であれやこれやと試してみる。押したり引いたりロープで引っ張ってもみた。しかし砂浜から車までが少しも進まない。３人とも汗びっしょりになりながらふぅふぅ言って引っ張る。近所に住むおばちゃんが、われわれが四苦八苦している様子を見て、家から出てきて手伝ってくれた。何してるんだこの人たちは、と思ったに違いない。へとへとになって車まできたが、そこから荷台に載せるのがまたやっかいだ。なんとかもっていた脚立を地面から車の荷台に渡して、ずるずると引っ張り上げた。

　それ以降、通報時に体長を注意深く聞くようになった。でもやはりだいたい小さめに見積もられることが多い。今では、写真を送ってもらう際に、できるだけペットボトルなど

大きさがわかるものと一緒に撮ってください、としつこいくらいお願いするようになった。

イルカやクジラを前にしたら、まずは見た目をよく観察する。腐敗度もそうだが、生前の傷はあるか、ダルマザメというサメの噛み痕はあるか、漁網の痕があったりするか、皮膚病のように見える部分はあるかなどを確認し、スケッチを行う。また、同時進行で写真撮影を行う。全身写真から体の細部までかなり多くの写真を残す。全身写真は難しく、体長が大きくなればなるほど大変だ。外での調査のときはなかなか全身写真を撮れる環境にないこともある。たまに肩車をして

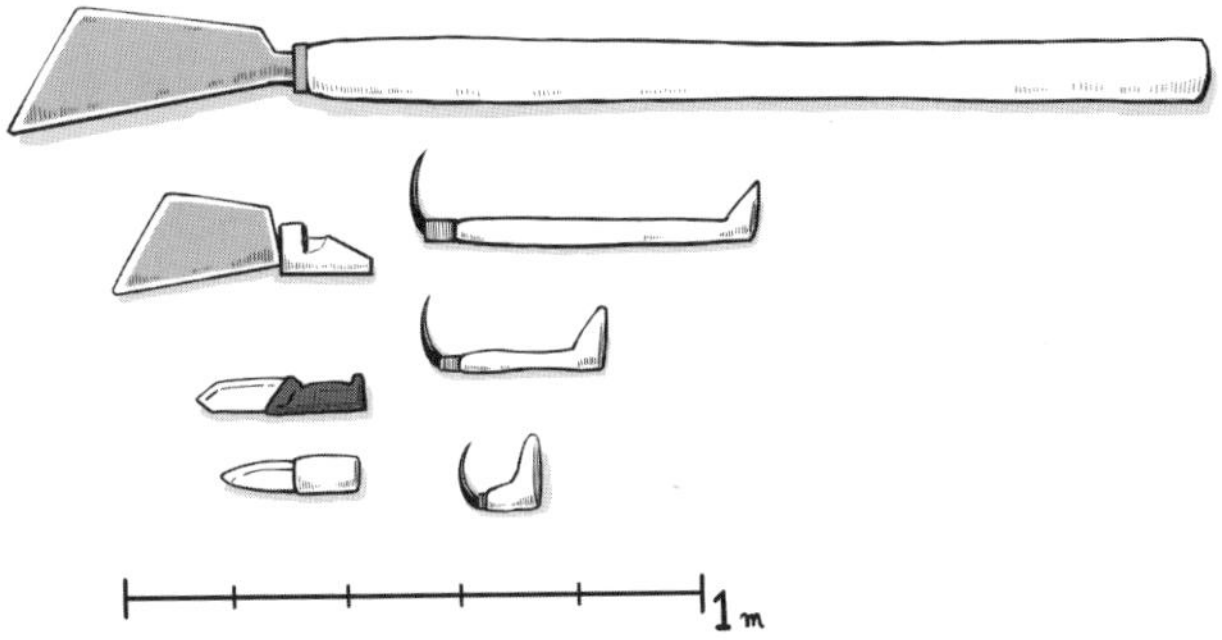

解剖刀とのんこ。クジラのサイズや工程により使い分ける。

高い場所から撮ることもあった。最近ではとても長い自撮り棒があったり、ドローンがあったりと技術はメキメキ発展している。

全身の観察が終わったあとは計測を行う。各鯨類の科ごとに計測用紙がある。打ち上がった種類に合わせて計測用紙を用意し、全身から詳細に計測していく。その後、おへそ付近に刀を入れて、脂皮厚と呼ばれる、脂肪の厚さを計測する。これにより、漂着した個体の栄養状態なんかが記録されることになる。

すべての計測が終わってようやく、解体調査が始まる。おもに使うのは解剖刀とのんこだ。のんこで引っ張り力をかけながら解剖刀で皮膚と脂肪をむいていく。クジラはサイズがさまざまなので、ネズミイルカやスナメリといった小さい種類はメスをよく使うし、ツチクジラなどの大きな個体は大包丁や小包丁といったかなり大きい刃物を用いる。

剥皮《はくひ》がある程度終われば次は筋肉をはがし、肋骨《ろっこつ》を露出させる。肋骨を外し、胸腔に入る。そこから胸腔内の内臓を摘出していく。また、腹膜をやぶり、腹腔内の内臓も摘出する。各内臓を摘出したら、その都度写真によって記録し、重量を計測する。そしてその後サンプリングだ。

多くの人の協力があって成立する研究

ストランディングネットワーク北海道では、鯨類を研究している全国の研究機関に希望を聞いて、ストランディング個体の標本を提供している。研究内容によって必要な部位や量、求めている鮮度はさまざまなので、サンプリングは多岐にわたるが、なんらかの理由で死んでしまった個体を最大限調査研究することが供養につながるのではないかという思いから、多くのサンプリングを行うようにしている。現在では18機関に対してストランディング個体の標本を提供している。

もちろん個体によってすべてサンプリングできるときとできないときがある。腐敗度によっては研究に使えないこともあり、その見極めもなかなか経験が必要だ。胃なんかは、けっこう腐っていても内容物を見ることはできるので、ぼろぼろになってしまった個体からもサンプリングすることができる。

サンプリングまで終わったら次は骨をバラバラにしていく。廃肉もすべて処分[※1]して、解剖した場所をきれいに片付けて、使った道具をちゃんと洗って片付けて、ようやく調査は終了する。サンプリングの連絡まで入れると1個体にかかる時間はかなり長い。また、一件一件状況は全く違い、同じ現場は二度とない。なので臨機応変にその都度対応する必要がある。また、事故やケガがあっては元も子もない。もう二度と調査ができなくなることもある。大きな刃物を使ったり、大きなクジラをクレーンで動かしていただいたりすることもあるため、リスクはできるだけ考えておく必要がある。

クジラが漂着した、と言ってしまえば一言だが、その現象には多くの人が関係する。打ち上がっているクジラを発見した人、それを処分しないといけない人、実際に処分を行う人、打ち上がったクジラの調査をしたい人、調査を手伝ってくれる人、標本を使って研究したい人、それぞれに立場があり、それぞれに事情がある。そのそれぞれを想像して対話を行わないと、物事はうまく進まない。

調査を行うときも、現場の状況はどうなっているのかを確認し、イルカであればもち帰れるのか、もち帰ったあとどうやって解剖室まで運ぶのか、現場で調査を行うのであれば、例えばその現場には車でどこまで乗り入れられるのか、行う調査の内容的に、どれくらいの時間をかけないといけないのか、どれくらいの人手が必要なのか、事故になりそうな危ないことはないか、道中は危険ではないか、誰が何をすれば調査がスムーズにできるのか、などさまざまなことをシミュレーションする。皆で一緒に大きなクジラを解体するときは、刃物の先に人がいないか、きちんと声をかけ合わないととても危ない。

ストランディング調査でもどんな調査でも、おそらく大切なのはコミュニケーション能力と想像力だと思う。どんな人にも立場があり、それは人によってさまざまだ。

※1 **廃肉の処分**　研究機関や状況によって方法はさまざま。産業廃棄物として処分されたり、焼却されたりすることもある。

コラム

双眼鏡でイルカやクジラを探す

イルカやクジラのウォッチングへ行ったことのある人はけっこういると思う。船でそばまでいって、ジャンプする姿を見て感動した人も多いだろう。

目視調査はウォッチングとは違う。例えば個体数を推定するために、あらかじめ決められた航路上を走り、その航海中に１８０度海を観察するのだ（調査によっては90度）。

双眼鏡でイルカを探すにはコツが必要で、初めてではなかなかうまくいかない。まず、双眼鏡でずっと海を眺めることがけっこう苦痛だ。慣れてくると、双眼鏡の中で一瞬水しぶきが上がることに気づく。その水しぶきから、鯨種を同定[※1]することもある。目視調査をしていると、体全体が見えることなど稀《まれ》で、ほんの少し見える部位から鯨種を同定するのだ。

目視調査で鯨類の発見のきっかけになる行動はいくつかある。例えばブローといって、噴気が上がると、「クジラがいた！」と気づくことができる。クジラの鼻の孔《あな》（噴気孔）は背中側にあるので、海中から浮上し、噴気孔を空中に出すことで、簡単に呼吸ができるようになっている。潮を吹くと表現されることもあるが、別に潮を吹いているわけではない。私たちが寒い場所で息をハーッと吐くと白く見えるように、クジラの吐いた息に含まれる水蒸気が冷えて白く見えているだけだ。

噴気の上がり方はクジラによってさまざまで、例えばマッコウクジラだと、前方斜め45度に向かって噴気が上がる。ツチクジラだとポッポッと気球のような形の噴気が上がる。しかも群で浮上することが多いので、多いときでは15頭分くらいの噴気が次々に見える。まるで潜水艦が海中から上がってきたようでゾクゾクする。ヒゲクジラの仲間の場合は噴気孔がわれわれの鼻の孔と同じように二つあるので、噴気は2本上がる。このように、プロたちは噴気の形だけで、チラッと見えているクジラの種類を同定することができるのだ。

発見のきっかけには、ほかに、ボディといって、体の一部が見えるだけのこともある。潜水するときに、ちらりと見えるボディから、その泳ぎ方を把握し、種を同定する。例えばネズミイルカは、クルリクルリと車輪が回るように泳ぐので、周期的に灰色の体が見える。ほかにもジャンプや、スプラッシュといって泳ぐときに現れる水しぶきを、発見の手がかりとする。イシイルカは高速遊泳をするとき、V字型の水しぶきを上げる。この特徴的な水しぶきはルースターテイルとも呼ばれ、雄鶏の尾の形に似ているとされている。

ジャンプ以外では、イルカやクジラの全身を見ることはできない。それに何より遠いことがほとんどだ。水産学部の乗船実習で、目視調査のティーチングアシスタントとして、毎年北大の練習船であるおしょろ丸に乗船していたが、学生たちは、初めのうちは、野生のイルカやクジラが見られることにわくわくしながら目視調査にやってくるものの、数km先の、ほんの少しの水しぶきしか見えないことに、がっかりすることが多いようだ。

また、日の出から日の入りまで、ずっと海を眺め続けるので、鯨類が出現しない時間のほうが長い。しかし、鯨類が出現しなかった、というデータを取ることにもとても意味がある。鯨類がいない、というデータは、ずっと見ていないと得ることができないのだ。鯨類がいる場所はどんな環境なのか、いない場所はどんな環境なのかを考えるときは、鯨類がいたデータといなかったデータの両方が必要なのである。

※1 **同定**　正体がわからない生き物を、資料を元にどの種か判別すること。

CHAPTER 2

鯨類研究者への道

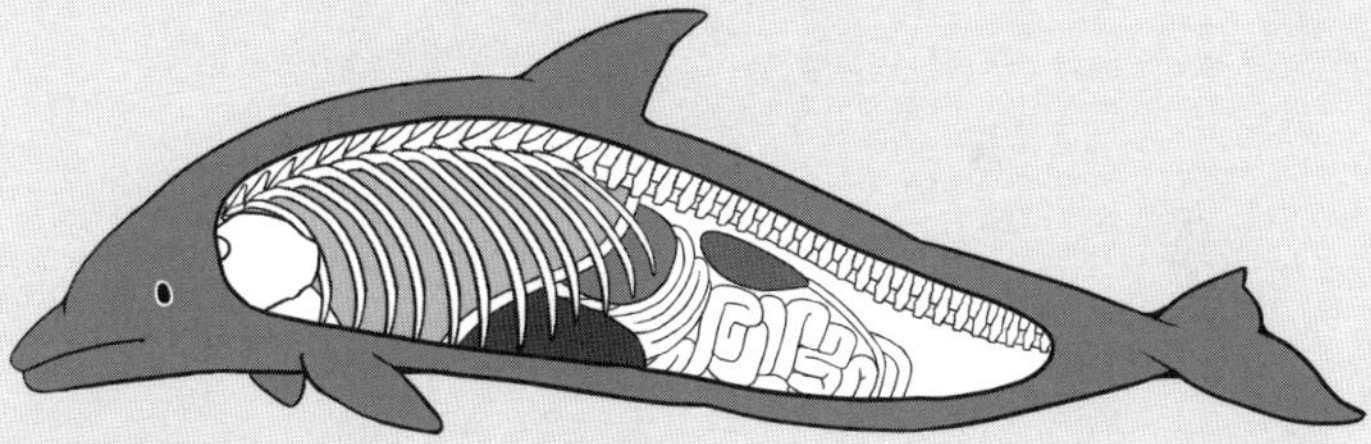

田舎少女、クジラ研究者の道へ

小さい頃から動物が好きだった。

現在北海道をフィールドにしている私だが、生まれは京都府宇治市、育ちは京都府宮津市の関西人だ。宮津市というのは細長い京都府の中でも北のほう。京都になじみのない人からは驚かれることもあるが、日本海に面しており、日本三景として知られる天橋立を有す。私が育ったのは、宮津市でもさらに山深い日ヶ谷という小さな集落で、そこで中学3年生までを過ごした。日本海が窓から見える小学校、中学校だった。同級生は13名しかおらず、水泳の授業はプールではなく、海での遠泳指導だった。

自然豊かといえば聞こえはいいが、まぁいわゆる田舎だ。

中学校の頃の職場体験で、ほかの子たちが保育園や老人ホーム、スーパーなんかを選択する中、私は漁協を選択した。女子として初めて漁協を選んだそうだ。定置網漁に同行し、水揚げされた魚を仕分け、なんなら市場までくっついていった。

定置網漁船に乗っているとき、シュモクザメが網にかかった。ハンマーヘッドシャークと言ったほうがイメージしやすいだろうか。そのハンマーヘッドシャークは漁師さんたちによって船の上にあげられたのだが、なんと私の目の前で子どもを産み始めた。自身の死を悟って子どもを産んだのかもしれない。その理由ははっきりとはわからないが、中学生の私にとっては衝撃的な出来事だった。20匹くらい、どんどん生まれてくる体長20㎝くらいのミニチュア版のハンマーヘッドシャークのうち、1匹を、漁師さんは海に放した。

　海を一番知る人は、漁師さんだと今でも強く思っている。漁師さんたちは肌感で海と共存している。この出来事が、私が水産学部で海洋生物の研究を行うきっ

ハンマーヘッドシャークはシュモクザメ科のサメの俗称。木槌のような頭部が特徴的。肉食で危険なサメ。

かけとなったのは間違いない。

志望大学を決めるとき、海に関する大学がいいな……とぼんやり思ってはいたが、はっきりとは決められていなかった。インターネットで志望大学について検索しているときに、たまたま、北海道大学鯨類研究会（北大鯨研）というサークルがあることを知った。そうだ、私クジラ好きなんだった、と思った。でもその頃は北海道は、すごく遠い場所で、リアリティはぜんぜんなかった。

センター試験の結果から、前期は北海道大学水産学部を受けてみてもいいんじゃないか、という話になり、それならばと受けてみることにした。オープンキャンパスにだって行ったことはなかった。

しかし受験って何があるかわからない。

前期日程[※1]、意気揚々と北海道大学の札幌キャンパスへ行った。そのときが私にとっての人生初北海道だった。一瞬でキャンパスの雰囲気をものすごく好きになって、絶対ここに来たい!!　と強く思った。しかし、だ。当日、試験を受けている途中からインフルエンザを発症した。もちろん予防接種は受けていたし、マスクもしていたけど、まあかかるときはかかるようだ。それも含めて実力だったんだなと思う。1年目は見事に落ちた。実際に北大をこの目で見たことで、どうしてもどうしても北大に行きたくなってしまった私は、１年浪人して、翌年無事北大に合格した。

浪人時代の受験時も、大雪により飛行機が飛ばず、北大の二次試験の日がずれるという事件が起こっており、インフルエンザがはやるような時期や、大雪の時期の大学受験はやめたらいいのにと強く強く思うようになった。

※1 **前期日程**　多くの国公立大学の個別試験は、前期日程と後期日程の2度行われる。それぞれに入学定員が割り当てられていて、通常は前期日程のほうが多い。

いざ、北大鯨研へ!!

紆《う》余《よ》曲《きょく》折《せつ》を経て、私は北海道大学に入学することができた。２００８年４月のことだ。生まれ育った関西を離れ、初めての東日本、いやもはや飛び越えて北日本。言葉がぜんぜん違う。文化がぜんぜん違う。例えば味付けが西日本より、全体的に甘い印象を受けた。

テレビのチャンネルが地域によって違うこともじつはこのときまで知らなかった。すべてが新鮮で、大地は広く、そして空がでかい。キャンパスがでかい。札幌キャンパスの大きさは東京ドーム約38個分くらいある。キャンパスの中には小川が流れているし、ジンギスカンパーティ（通称ジンパ）を行う場所まであった。自転車がないと授業に遅刻する。焦ってメンストを激チャする。[※1] 遊び過ぎて寝つぼる。[※2] これは北大（札幌キャンパス）あるあるだ。

北海道大学水産学部は函館にある。函館キャンパスからは徒歩10分で海だ。私が入学した頃は、札幌キャンパスで大学1年生から2年生の前期までを過ごし、2年生の後期から函館キャンパスへ移った。札幌にいる頃もそれはそれは楽しく過ごしたのだが（楽しみ過ぎて成績は微妙そのものだったが）、水産学部を希望した私にとっては、函館キャンパスに移ってからが本番だった。

そもそも私が北海道大学水産学部を選択した理由は、高校生の頃にインターネットで北海道大学鯨類研究会というサークルの存在を知ったからである。サークル目当てで大学を選んだ。

函館キャンパスに移って、念願の北海道大学鯨類研究会に入会した。歴史をたどると、１９９９年に設立された北大水産学部公認サークルで、今現在も続いている。とにかく顧問の先生がとても変な人だ。そもそも鯨類専門の先生ではなく、海の中の魚の数を推定する、水産資源学を専門としている。研究者かと思いきやフルート奏者でもあり、コンサートも開催しているし、CDも出している。その後の私の指導教官となる方なのであまり変とか言っちゃダメなんだろうが、「先生変ですね」と言うとうれしそうなので多分問題ないと思う。

※1 **メンストを激チャする**　メンストは北海道大学のメインストリート、激チャは自転車を猛スピードでこぐこと。

※2 **寝つぼる**　寝坊して授業に遅刻・欠席すること。

津軽海峡にはシャチがいる

北大鯨研の当時のおもな活動は、函館と青森を結ぶ、津軽海峡フェリーに乗船しての鯨類目視調査だった。

サークルに入ってから、大学のすぐそばの海が津軽海峡であることに気づいた。津軽海峡といえば大みそかに紅白歌合戦で聴く『津軽海峡冬景色』のイメージしかなかったし、向こう側がそれまで行ったことのない青森県であることも実感はなかった。そして何より、津軽海峡で鯨類が見えることをちっとも想像していなかった。

北大鯨研の行っていた津軽海峡鯨類目視調査は、２００２年に始まり、毎週土曜か日曜かどちらか1日に、シフトを組んで2〜4人で津軽海峡フェリーに乗船し、往復の間双眼鏡で海を一日中見て、鯨類がいるかどうかを見続け、発見があれば記録するという調査だ。シンプルだけれど、いつどこに何がいるか、というのはとても重要な基礎的情報である。また、誰かがやらないとわからないことなのである。そして続けることに大きな意味がある。例えば、今まで見えていなかった種類が見えるようになった、それまで見えるのが普通だった種が発見できなくなった、なんていう情報は、長期間見ていないとわからない。

先輩たちから目視調査の説明を聞き、津軽海峡ではカマイルカやイシイルカやネズミイルカが見え、ミンククジラだって見えることもあると聞いて、野生の鯨類を見たことがなかった私は、目視調査に行くことが楽しみでたまらなかった。幸い、船にはなんだかめっぽう強い質《たち》で、今までで船酔いしたのはたぶん体調が悪かったときの1回しかない。

初めての目視調査では、フェリーの乗船の仕方、調査記録の付け方（時間や天候、海況などを事細かに記録していく）、双眼鏡の使い方などを学んだ。ずーっと海を見ていることはそんなに苦ではなかった。よく見ているとさまざまな海鳥も見え、波がイルカに見えたりして、テンションは上がりっぱなしだった。

そして2回目の目視調査で事件は起こる。

11月後半の目視調査はけっこう波があることもあり、あまり鯨類が見えない時期でもあり、先輩たちからはつまらないよと言われていた。その日は同期の女の子も一緒に行くはずだったが、その子は寝坊して調査に来られなかった。1日で函館青森間を往復するので、なんせ朝が早い。

往路（函館→青森）ではとくに何もなかったのだが、復路（青森→函館）において、そろそろ函館山が見えたくらいで、水面に1本の黒い棒が突然生えた。一緒に乗っていた先輩も、「なんだ、あれ！」と叫んでいた。その1本の棒はぐんぐん船に近づいてくる。すごいスピードだ。

シャチだった。ものすごいスピードで大きなシャチがフェリーに向かってくるのだ。

皆さん知ってましたか？　津軽海峡にはシャチがいるということを。その頃の私の中のシャチのイメージは『七つの海のティコ』[※1]で止まっていたし、日本に、しかも、津軽海峡に野生のシャチがいるという想像は全くできていなかった。

よく見ると全部で3頭のシャチがフェリーとすれ違った。その後記録を確認すると、津軽海峡でシャチが見えたのはおよそ20年ぶりだったそうだ。

フェリーとシャチがすれ違ったとき、足ががくがく震えた。アイドルコンサートに行った熱狂的なファンのようだけど、たぶん、目が合った。私にとっての初めて見る野生の鯨類が、津軽海峡では20年ぶりのシャチだったのだ。ものすごいスピードと圧倒的な存在感。あまりシャチ

シャチはマイルカ科のハクジラ。ずんぐりしていて体の色は白黒がはっきり分かれる。社会性が強く、群で狩りをすることでも知られる。

シャチ言いたいタイプではないのだが、こればっかりはすごい経験をしたなと思った。大学に戻ってからいろんな人に自慢をし、写真を見せ、珍しかったこともあり、地元の新聞にも載った。

もちろん、寝坊した同期の女の子の悔しがりっぷりはすさまじかった。

※1 **七つの海のティコ**　1994年に放映されていたテレビアニメ。主人公の女の子ナナミがシャチのティコと一緒に世界中の海を旅するお話。

何もできなかった初のストランディング調査

北大鯨研の顧問を務めている松石隆教授はストランディングネットワーク北海道の代表でもある。ストランディングネットワーク北海道とは、2007年に任意団体として設立された学術団体で、北海道にストランディングした鯨類の情報を収集し、可能であれば調査も行う団体である。北大鯨研の、私の3学年上の先輩がおもに調査を行っていた。調査があると北大鯨研メンバーにも声をかけてくださっていた。

２０１０年１月、ついに私も参加できるストランディングが起こった。石狩でのツチクジラの赤ちゃんの調査だった。発見地点は小さな川の河口で、氷漬けになってしまっていたようである。到着後まずは氷を砕いて掘り起こすことから始まった。掘り起こしたあと、酪農学園大学の解剖室に運び込まれ、そこで調査を行うことになった。今にして思えば、相応の知識をもって挑んでいたらもっとさまざまな発見ができたであろう貴重な個体だ。

　このツチクジラの赤ちゃんの体表には、体軸に対して垂直に何本かしわが残っていた。これは胎児しわと呼ばれるもので、お母さんの子宮にいたときに体を丸めて入っているため、体表に残ってしまうしわである。つまりこのしわがあるということは生まれて間もないということを示す。

　なかなかない機会だったため、国立科学博物館[※1]（科博）からも当時動物研究部脊椎動物研究グループ長だった山田格先生はじめ多くの調査員の方が調査にいらっしゃっていた。また、とても新鮮できれいな個体だったため、石膏で型を取り、模型がつくられることになった。われわれ学生もそのお手伝いをさせてもらうことができた。

　ひたすらに石膏をクジラの体表に塗り続ける作業が始まった。赤ちゃんとはいえ、その体は大きく、４２０㎝もあった。その体の表面にあますところなく石膏を塗っていくのだ。

作業は夜中までかかった。ここまでクジラの体表をなでなでしたこともないくらい、ずっとなでなでしながら石膏を塗っていった。

後日科博で、これがあのときの個体だよ、と模型の完成形を見せていただき、あのとき夜中まで石膏を塗り続けた甲斐があった……と感動した。ツチクジラの赤ちゃんがどんな顔をしていて、どんな体で、どんなしわがあって、というような本物の情報を残すことは写真ではなかなか難しいが、博物館ではこうやって、記録を残していくんだと知った。

まずは外部形態をくまなく観察する。そして体表の模様や傷などをスケッチし

●ツチクジラ

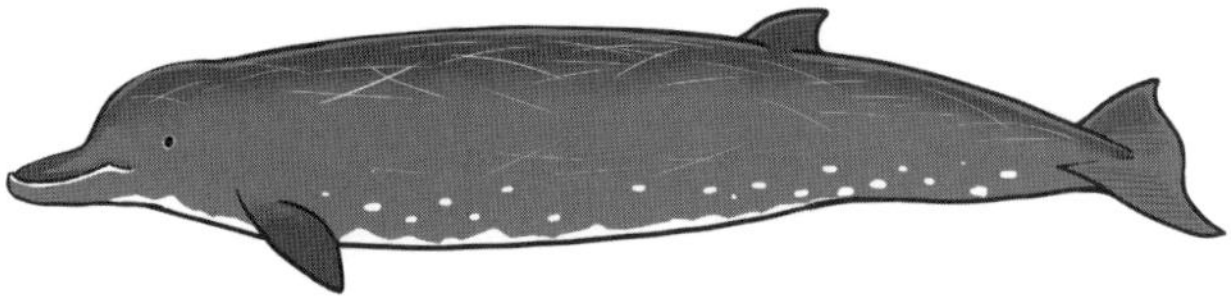

アカボウクジラ科のハクジラ。体が長くて、背びれは小さく先が丸い。

ていく。また、全身写真、各部写真とたくさんの記録を残していく。その後、全身の計測が始まる。上顎先端と尾びれの切れ目の部分に棒をあて、まっすぐスケールを伸ばし、まずは全長を測る。その後、伸ばしたスケールを用いて、口角や眼、噴気孔の位置などを詳細に計測していく。

　初めて参加したストランディング調査は、何をすればよいかもわかっておらず、のんこを手に、ただうろうろとして何かできることを探す……といった感じだった。

　山田先生のそばに行って、いろいろなことを教えていただいたと思うのだが、緊張もあり、また、お話の内容が今まで触れたことのなかった、筋肉の形や体のつくりに関することだったのもあり、申し訳ないことにあまり覚えることができていない。ただ、ものすごい量の情報をたくさん伝えてくださっていたと思う。ちゃんと咀嚼《そしゃく》できていないのは私の至らなさだ。

　この個体で初めて怪網《かいもう》という単語を知った。怪網とは、血管が細かく枝分かれして形成した血管の網状の組織のことだ。鯨類では肋骨の付け根の部分に怪網が広がっている。もじゃもじゃしていて、とてもきれいだ。

　初めてのことばかりで、ツチクジラの赤ちゃんの大きさ、臭い、服に血が付くとなかなか取れないこと、一つの個体から、いろいろなサンプルを採るということ、このクジラのために研究者が集まってきていることなど、一つ一つが新鮮で、刺激的だった。

一方、すでにストランディング調査を経験している先輩たちは、科博の先生たちからいろんなことを任されていた。臓器を切り離したり、マキリ（小刀のこと）をもって骨から筋肉を採っていく除肉を任されたりだ。うらやましかった。私もはやくストランディング調査を自分でこなせるようになりたいと強く思った。

調査はよくわからないうちにあっという間に終わってしまった。私は何もできなかった。

その後、機会があるたびにいろいろなストランディング調査に参加させていただくことになる。めちゃくちゃ大きくて自分がいったいどこを切っているのかわからなくなるマッコウクジラ、同じマッコウクジラでも、腐っておばけみたいになっていた個体もあった。存在さえよく知らなかった石狩でのオウギハクジラ、真夏の室蘭でのたくさんのカマイルカ、北海道のさまざまな場所でぽつぽつ打ち上がるネズミイルカ、そして何より、２０１０年９月に函館で打ち上がったタイヘイヨウアカボウモドキ[※2]。思い出すとその毎回にさまざまな学びがあった。こうして北大鯨研として、サークル活動として関わらせてもらったストランディング調査に、私はやめられなくなるほどはまっていく。

※1 **国立科学博物館**　東京都台東区上野公園内にある、日本最大の科学博物館。

※2 **タイヘイヨウアカボウモドキ**　アカボウクジラ科のハクジラ。ハクジラの中でもとくに謎の多いクジラで、２０１０年の函館での漂着は、国内で2例目。

ネズミイルカの混獲調査

春になると、函館から車で1時間ほどの漁村でネズミイルカの混獲調査に参加した。ネズミイルカというのはネズミイルカ科に属す小型のイルカで、クチバシのない、「porpoise（ポーパス）」のほうだ。本州ではあまりなじみのないイルカだと思うが、沿岸で暮らし、北海道では一番漂着数の多い一般的なイルカだ。混獲とは漁師さんの網にうっかり入ってしまうことである。

指導教官である松石隆先生の研究室ではそのネズミイルカの混獲の実態を調査するべく、２００２年から漁村に入り、調査を行っている。1シーズン（4月初め〜GW頃）にどれくらいのネズミイルカが混獲されてしまうのか、その死亡率はどれくらいなのか、といったことを調べている。

前日の夜から、函館市臼尻《うすじり》にある北大の実験所に行き、翌日朝4時に起きて、漁師さんの船に同乗させていただく。ネズミイルカが網の中にいた場合は保護し、前もってつくっておいたプールにもち帰り、しばらく飼育する。

今でも毎年、臼尻での混獲調査は行っている。混獲されてしまったネズミイルカのすべてが生きているわけではない。どうしても、死んでしまうこともある。これまでの臼尻でのネズミイルカ混獲調査で全体の約30%は死んでしまった。とくに大漁のときは、ネズミイルカが魚に溺れて窒息してしまうこともあるし、驚いて網に引っかかってそのまま溺死してしまうこともある。プールまでは生きていても、それまでにすでに肺に海水が入ってしまっていると、生き延びることは難しい。プールの中で寄り添って介護しているときに、自分の腕の中でネズミイルカが死んでいくこともある。自分が悪かったんじゃないかとかなり落ち込む。温かくて、腕の中で鼓動を感じていたイルカが、どんどん冷たくなっていくのを感じるのは正直きつい。命をずっしり感じる調査だ。

死んでしまっても、きちんと解剖調査を行う。新鮮な個体から採れる標本は貴重だ。逆に元気になってくれると、よかったよかったと胸をなでおろす。元気になるとバクバク餌を食べたりする。生きたホッケや小さなイカをプールに入れたときは、大興奮で追いかけ回してうれしそうに食べていた。野生のイルカを飼うという経験はなかなかできるものではない。広い海で生きていたイルカが今目の前にいる。野生からスナップショットのように目の前に現れたイルカとともに1週間くらい過ごす。野生下ではどういうふうに生きていたんだろうかと思いをはせながら、ほんのちょっとしたことで死んでしまうイルカを見て、生きていることの難しさや美しさを実感する。

　ネズミイルカが元気になると、飼育できている間にネズミイルカが発する音を録音したり、何種類かの餌を入れておいてどっちの餌を好むか、といった実験をしたり、複数飼育する場合は、どのような行動を取るか、といったことを記録したりする。

　野生のイルカと触れるという点でもとても刺激的な調査ではあるが、漁村で暮らすという経験も学生にとっては学びが多い。イルカの混獲のないときは、見よう見まねで漁師さんのお手伝いをさせていただく。操業の邪魔にならないように、今何を求められているかを感じとって動く。このあたりの網をもっておけとか引けとか言われたら、言われたとおり網をもつ。魚箱が足りないなと思ったら取りに行く。台車がいるなと思ったら用意しておく。たまに魚をいただくこともある。いただいた魚はもち帰って捌《さば》く。

ネズミイルカはネズミイルカ科のハクジラ。体長120〜160cm程度の小型のイルカ。

水産学部生だからといって、お刺身をつくる授業があるわけではないので（あってもいいと思う）、皆がみんな魚を捌《さば》けるわけではない。先輩方から教えてもらって、いろいろな魚を捌く。カレイは5枚開きにする、サクラマスはさくにして冷凍してルイベとして食べる、タコは塩でよくもんでぬめりをとって熱湯でゆがく、ホッケの干物をつくるときは背開きにする、などなど。お刺身にしたり、昆布締めにしたり、干物をつくったり、煮つけにしたり、フライにしたり、いただいた魚は皆で大切にいただく。

　漁師さんたちと話していると、海のこと、魚のこと、昆布のこと、いろいろと

ルイベのつくり方

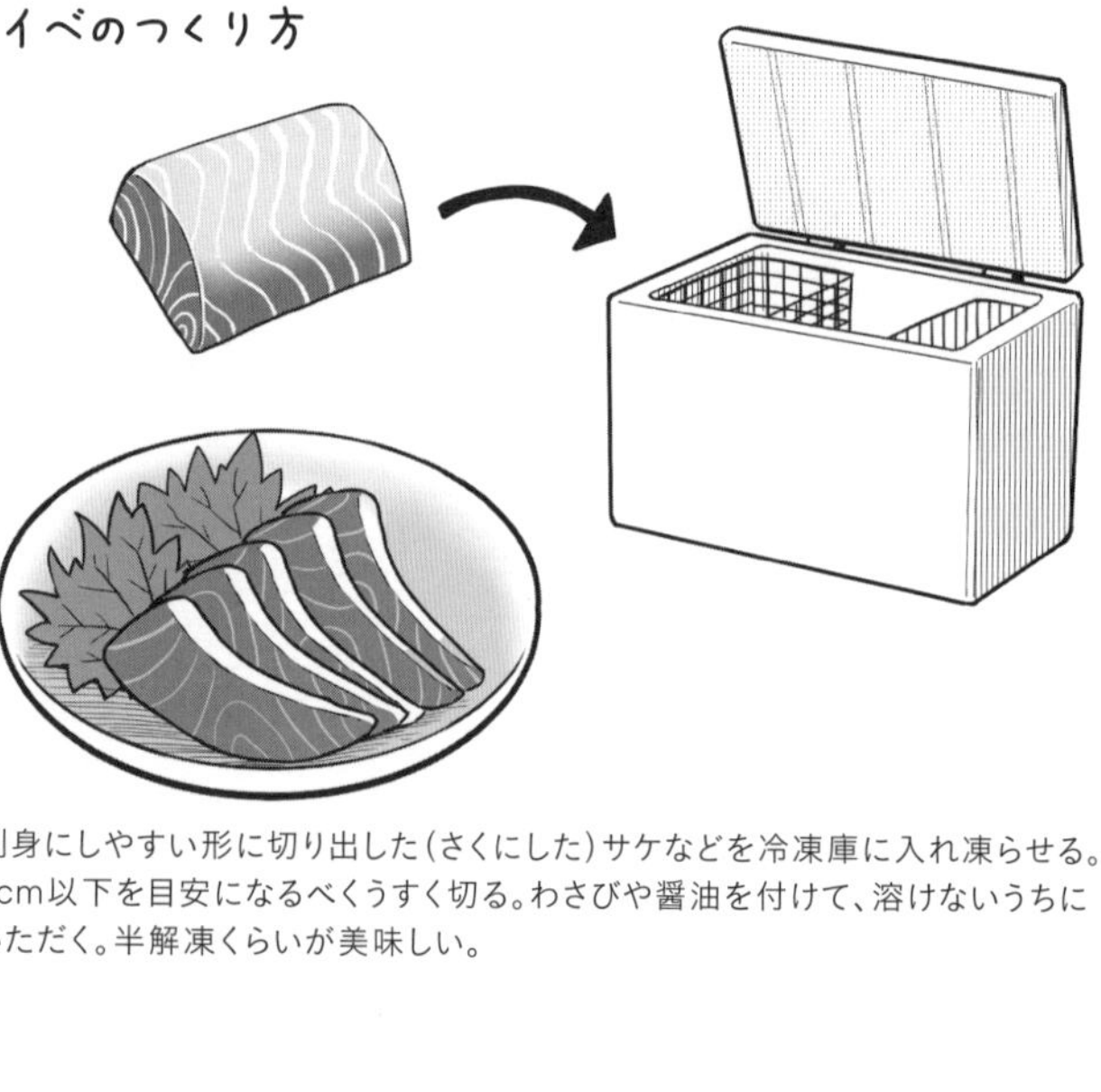

1：刺身にしやすい形に切り出した（さくにした）サケなどを冷凍庫に入れ凍らせる。
2：1cm以下を目安になるべくうすく切る。わさびや醤油を付けて、溶けないうちにいただく。半解凍くらいが美味しい。

教えていただくことができる。最初のうちは怒られているように感じて怖かったのだが、おしゃべりをしているうちに、言葉が短くて声が大きいから怖く感じるだけだ、と気づく。そんな臼尻生活は、ネズミイルカの混獲がある4月中旬から5月はじめ頃まで続く。臼尻、というのがわれわれにとっては春を表す季語になった。

4月から6月までは、津軽海峡に多くのカマイルカが来遊する。カマイルカはマイルカ科に属するイルカで、クチバシはあるがとても短い。日本周辺に分布するカマイルカは、太平洋側では紀伊半島から千島列島、東シナ海から日本海、北海道のオホーツク海沿岸まで見られ、夏は北上し冬は南下する季節回遊を行っている。たくさんジャンプもするし、船がつくる波（船首《せんしゅ》波《は》という）に乗ってくれるので、目立つし見ごたえがある。

北大鯨類研究会で行う津軽海峡目視調査で最も記録数が多いのがこのカマイルカである。臼尻に行ったり、週末は津軽海峡目視調査をしたりと本当に充実した日々を送っていた（大学の授業はお世辞にも真面目に受けていたとは思えない）。

コラム

北水祭でクジラ食文化に出合う

北海道大学水産学部の学祭は北水祭という。札幌キャンパスほど派手には行わないが、地元のお客さんも多く訪れ、水産学部ならではの出店が立ち並ぶアットホームな学祭だ。北大鯨研では、ミンククジラ赤肉の販売、クジラ大和煮缶詰の販売、クジラ料理の販売、クジラに関する展示など、いろいろな催しを行う。函館ではクジラを食べる文化が色濃く残っており、市民の方が毎年長い行列をつくり、北水祭の名物の一つになっている。

2年生のとき、何でもいいからテーマを決めてクジラに関するポスターをつくるという使命が与えられた。Ａ０判の紙でつくる壁新聞的なものだ。われわれは2班に分かれ、2枚のポスターをつくることになった。

クジラを食べる、ということにそもそもなじみがなかったので、クジラの食べられる部位について調べてまとめることにした。調べてみて驚いたことに、日本ではクジラは内臓を含め何から何まで利用していた。胃や腸は牛や豚でも目にするが、腎臓も食べるなんて！　筋肉も体の場所ごとに名前が付いていて、なかでも尾びれに近い尾身や舌にあたるさえずりがとてもおいしいらしい。

北水祭当日は、札幌のクジラ料理のお店から、クジラ料理プロのおかみさんが指導に来てくださった。そもそも北水祭でクジラ料理の出店をするようになったのは目視調査のためのフェリー運賃を稼ぐためだ。その意義に賛同してくださって、毎年、厳しく、しかし優しく、料理の指導をしてくださっていた。昆布と鰹節でどうやって出汁をとるのか、とか、クジラの脂皮の部分は冷凍してからじゃないとうまく薄く切ることはできない、とか、料理の基本から鯨料理に関することまでさまざまなことを教えていただいた。

北水祭当日に出すクジラ料理とは別に、おかみさんはさまざまなまかないをつくってくださっていた。驚いたのは、北水祭当日になると、院生の先輩のみならず、卒業したOB・OGも北水祭のために手伝いに来てくださっていたことだ。現役生は出店に立ち、せっせと売り子をしたり、展示の説明をしたりするのだが、その裏でおかみさん、先輩、卒業生たちがおいしいまかないをつくってくれている、というのが本当に楽しかった。

クジラベーコンも、クジラかつも、初めて食べるクジラ料理は、単純においしかった。

2日間にわたる北水祭は無事成功し、フェリーの運賃もしっかり稼ぐことができた。先輩や外部の人ともつながりができる、おもしろい空間だった。

初めての学会参加

北大鯨類研究会には津軽海峡でためた目視データがかなりある。そのデータを解析し、学会にも参加した。初めて学会に参加できたのも北大鯨研で得た大きな経験の一つだ。日本セトロジー研究会という研究会がある。セトロジー（cetology）とは鯨類学のことだ。つまりは日本における鯨類を専門とした学会だ。北大鯨研では、私たちの7代前くらいからその研究会に参加していた。

しかし3年生の頃は、学会とは何なのか、データを解析するというのはどういうことなのか、そもそも何から始めればいいのか、さっぱりわからなかった。

まずは先輩たちにフォローしてもらいながら、研究テーマを考える。ああでもないこうでもないと、いろいろな文献を見ながら毎日話し合った結果、われわれは、津軽海峡に来遊するカマイルカが何頭くらいなのか、を推定することにした。

学会で発表するということがどういうことなのか、ちっともわからない3年生で、学会発表に挑むというのはなかなかチャレンジングではあるが、毎日とても楽しかった。授業が終わったら同期の皆で一室に集まり、夜中まで、ときにはうとうとしながらひたすら意見を出し合う。非日常感に少しわくわくもしながら、考えても考えてもよくわからないもどかしさに苦しめられながら、いつも飲んだくれてる先輩が意外とかしこそうでかっこいいことに驚きながら、学会発表の準備を進めた。

学会での発表を登録するためには、どんな発表をするか、という内容を決められた文字数で適切に記載し、提出する必要がある。これを「要旨（Abstract）」という。朝方まで残って要旨を作成し、先輩に添削してもらい、先生に添削してもらい、何度も何度も書き直してようやく完成にこぎつける。この要旨はだいたい学会の2〜1カ月前くらいには提出しておく必要があるのだが、つまりそれまでに内容が固まっていないといけないということだ。

どんなにフィールドに出てたくさんデータを取っていても、それだけでは十分に解釈することはできない。統計学を用いて解析することでようやく科学的な考察ができるようになる。

また、データ整理を経験することで、ようやく、なぜこのデータが必要だったのか、がわかる。以前は言われるがままにデータを取っていただけだったが、本来、データを取るときには、その先にある解析を見据えて、計画的に取るデータをアレンジしておく必要があるのだ。いつもの目視調査に色が付いたような気がした。

そして得られた結果や結論をきちんと文章化する。しかも限られた文字数で、だ。これまでやったことのない、文章をそぎ落としていく作業の始まりだった（その後はひたすらその能力を磨いていくことになる）。簡潔に、解釈に必要な言葉だけを書く。解析の結果、津軽海峡へは、シーズン平均で約９６００個体、最も多くなる５月には約４５００個体が来遊していたことがわかった。

次はポスターの作成だ。発表形式はだいたい口頭発表かポスター発表かのどちらかを選択することになる。口頭発表はパワーポイントなどで研究内容に関する発表スライドを作成し、口頭でその研究について発表する形式。ポスター発表というのは、Ａ０判の紙に研究内容をわかりやすくまとめ、ポスターセッションと呼ばれる時間（だいたい1～2時間）に自身のポスターの前に立ち、立ち寄ってくれる参加者にフリートークでその研究内容を伝えるという形式だ。われわれはこのポスター発表形式を選択した。

何度も何度もつくり直し、たくさんの改訂ファイルをつくった。ファイル名は、「改訂その２」とか、「これこそが完成版」とか、「真の完成稿その２」とか、「完成版!!　がんばった――――」とかで、まったくなっていない。今ならそんなバカみたいなファイル名にはしない。

ポスターはデザイン性がよいほうが人はきっと目にとめてくれるだろうが、その辺はもうセンスとしか言いようがない。また、枠線なんかも自分でつくるのだが、ずれないようにミリ単位でそろえるかどうかは性格による。でもそろってたほうが見やすいに決まっているのでせっせとそろえる。

ここまででだいぶへとへとだが、ここからが本番だ。学会発表である。

学会はその年によって開催される場所が違う。私たちが参加したときは青森県十和田市で開催された。

正直初めての学会自体のことはあまり覚えていない。えらい先生から、「この調査方法で本当にいいの？」と聞かれてから、完全に頭が真っ白になってしまっていた。

初めての学会参加は、日本全国にイルカやクジラの研究をしている人がたくさんいることに驚いたり、おいしいお酒を飲んだりしているうちに終わってしまった。チームで必死に準備をしたことのほうが強烈な思い出だ。

そんな初めての学会参加ではあったが、3年生でこれを経験できたことで、研究って楽しい！　と素直に思うようになった。おそらくそれは私だけではない。北大鯨研出身者は博士課程に進学することが多いような気がする（なんてったってサークル名に研究と入っている）。大学での研究に興味をもって北大鯨研に入ると、フィールドに出ること、フィールドで自分なりにアレンジしたデータを取ること、それを解析して結果をまとめ、考察し、発表すること、といった一連の流れを好きになっていくんだろうと思う。

　私自身、北大鯨研に入ったことで、早いうちからさまざまなフィールドを経験した。津軽海峡での目視調査も、ストランディング調査も、臼尻での混獲調査も、

毎年毎年続く。二度と同じ調査はなく、一回一回に意味がある。

研究の楽しさから逃れられなくなった私は、そのままサークル顧問の松石先生の研究室を選択し、3年生の冬頃から研究室に出入りすることになった。とくにストランディング調査がもっともっとしたい！　と思った。つまりストランディングネットワーク北海道目当てで、松石研に入ることを決めたのだ。

1日の大半を研究室で過ごす

松石研究室に配属された3年生は3人。サケについて研究したい子、資源学がやりたい子、そしてクジラがやりたい私と、てんでバラバラだった。同じ学科で1年以上一緒に過ごしているので、ある程度知ってはいたが、お互いをよく知っているわけではない。

当時、研究室には、修士課程[※1]（マスター）1年の先輩が二人、大学4年生の先輩が二人、タンザニアと中国からの留学生が一人ずつ、合計6人の学生が在籍していた。このように学生同士の年が近いこともあってか、先輩たちはとても優しく、どんどんと家族みたいに感じるようになっていった。

留学生もいるおかげで、早くから英語を話す環境にあったことも自分にとってラッキーだった。たまにうっかり変な日本語を教えちゃうこともある。タンザニアからの留学生が、「懐寒い」と言い出したりして、いったい誰が教えたんだと話題になる。逆にスワヒリ語[※2]を教えてもらえたりしてとても楽しい。残念ながら私が現在も覚えているスワヒリ語はジャンボだけだが。

研究室に入ってからは、毎日、朝から晩まで皆研究室にいた。入るまで知らなかったが、どうやら研究室というのはそういう場所のようである。1日の大半を研究室で過ごす。デスクにはいつの間にか、歯ブラシとか自分のマグカップとか、お気に入りのお茶とかが並ぶようになる。最初の頃は、読むべき論文を探してみたり、講義で出たレポートをやってみたりしていた。そんな日々の中で、本当にお世話になったというか、勉強させていただいたのは、一緒に松石研に入った同期、馬場君の存在だった。今や多くの統計学に関する本を出版している人物だ。

統計学というのは、研究を行う人間にとって切っても切れない関係がある。データを集めてきたあと、そのデータにどんな意味があるのか、を説明する必要があるからだ。

例えば、3月から9月にかけて、オス50個体とメス60個体分のデータが集まったとして、季節による違いがあるのか、とか、オスとメスで何か違いがあるのか、といったことを説明したいとき、なんとなくデータの羅列を見せて、「ほら〜なんか違う感じします〜」と言っても誰も納得してくれないだろう。誰が見ても判断ができ、人によって解釈が異ならないように、有意に差があるといえるのかどうか、を示すとき、その数値上の性質や規則なんかを提示するべきだ。そのための手法が統計学である。

統計学の詳細は別途専門書をご参照いただければと思うが、研究をしている人たちというのは、だいたい皆統計学を学んでいる。大学1年生の頃から統計学の授業はあったが、実際に自分でデータを集め始めてようやく、その重要さと難しさを知った。

馬場君は自身で勉強し、統計について、もう最初の頃からべらぼうによくできる人だった。しかも何より説明がじょうずで、私が身振り手振りで「なんかもうよくわからんのだけど(泣)」となったときも優しく丁寧にかつわかりやすく統計について解説してくれた。馬場君のおかげで自分から統計について勉強するようになったし、何より勉強することが楽しいと思えるようになった。おそらく、「できること」が増えたからだと思う。「できること」が増えるとどうやら人間はやる気が出る。

統計について、指導教官である松石先生もご専門だったし、よくできる同期もいたしで本当に恵まれた環境にいたなと思っている。

　データが集まってきたら、やみくもに解析しようとしないで、まずはぼんやりそれを眺めてデータを吟味すること。データを吟味すればおかしい場所や違和感、なんとなくの傾向が見えてくる。その後、どういう解析を行うかを考えていく。それが二人から教わった、一番大事なことだ。

※1 **修士課程（マスター）**　大学院の学位の一つである修士を得るための教育課程。大学の学部卒業生が進学する。修士課程の上が博士課程（ドクター）。なお、M1は修士課程1年生の略。また、博士課程修了後に就く任期付きの研究職が博士研究員（ポスドク）。

※2 **スワヒリ語**　タンザニアの公用語。ジャンボは基本のあいさつとして日本でもよく知られている。

解剖を学びに北里大学獣医学部へ

研究室の運営はその研究室の指導教員によってだいぶ違う。卒論テーマが先生から降ってくる部屋もあれば、自分で考えてもいい部屋もある。松石研は後者だった。松石研では、自分で考えたテーマで、自分でがんばることができれば何をやってもいい。対象生物もなんでもいい。コアタイムと呼ばれる、絶対研究室にいないといけない時間が決まっているわけでもないので、好きな時間に研究室に行き、好きな時間に帰っていい。

ただし、ちゃんと研究として成り立つかどうかは自分次第である。私はストランディングネットワーク北海道目当てで、松石研に入ることを決めたが、ストランディング調査は調査であり、研究テーマとはまた別である。テーマを考えることが難しいことは、日本セトロジー研究会に参加したときに十分わかっていた。

しかし何よりもまずは、イルカやクジラの死体をきちんと解体できるように、調査できるようになることが、目下の目標となった。指導教員の松石先生は、イルカやクジラが解剖できるわけではない。先生の専門は水産資源学であり、海の中の魚の数を推定する人である。統計学的なことは教えてもらえるのだが、イルカの体がどうなっているかは教えてもらえない。ただ、先生には日本全国のいろいろな研究者とのつながりがある。そのつながりを最大限利用させていただくことにした。

3年生の冬に、北里大学の獣医学部の進藤順治先生のところに、ネズミイルカの死体を運び、解剖について教えていただくことになった。進藤先生とは、初めて参加した日本セトロジー研究会十和田大会でお会いしていたし、とてもお世話になっていた。解剖を教えていただけないかという無茶なお願いも快諾していただけた。進藤先生にネズミイルカの解剖を丁寧に教えていただき、動画も撮らせていただいて、復習もできるように準備した。

２０１１年２月４日、苫小牧《とまこまい》市でネズミイルカの漂着があった。まだ全身きれいに残っていた。全身回収した個体を北大の函館キャンパスに運び、調査を行った。朝から始めて、片付けまで全部終わったのは20時頃だったけれど、初めて誰かの指導なしで1個体全部を調査した回だった。うっかり胃にくっ付いている膵臓をなくしそうになりながらも、内臓はちゃんと全部採れた。北里大学に行って学んだことが十分に発揮できたと思えた。

３月には、長崎大学でのスナメリの解剖調査にも参加した。日本全国から研究者が集まり、たくさんのスナメリを解剖した。事前に「松田純佳の武者修行」というメールタイトルで、松石先生からいろんな先生に解剖の参加についてお願いしていただいた。

とてもシステマティックに計測や解剖、採材が行われていて、そのシステムから何から何まで、勉強の連続だった。何より、国立科学博物館の田島木綿子先生の解剖がかっこよくて、憧れる存在になった。私もあんなふうにストランディング調査ができるようになりたい！　と思い、たくさんまねさせていただくようになった。学びの多い２０１１年３月だった。

４年生時代「ぜんぜんだめだめだった」

　そして４月、私は４年生になった。ストランディング調査をバリバリ進めていかないといけない。もちろん卒業研究も、だ。

　４月５日、稚内《わっかない》からツチクジラ漂着の連絡があった。今までに学んだことを現場で生かすチャンスだ！　かなりの遠出だし、かなりの大型個体である。ドキドキしながら準備をして、松石先生と１学年上の鯨研の先輩と１学年下の鯨研の後輩と４人で調査に向かった。調査リーダーは私だ。初めて参加したストランディング調査もツチクジラだったし、何かとツチクジラとは縁があるようだ。

　３月に長崎大学で経験した種類はスナメリだった。体長は最大でも２ｍくらい、だいたい１５０㎝くらいの小さなイルカだ。２月に調査を行ったネズミイルカも体長は１４０㎝程度だった。今回のツチクジラは、アカボウクジラ科に属するクジラで、体長は10ｍを超えることもある。同じ鯨類とはいえ、１５０㎝と10ｍはえらい違いだ。現場に着いて、漂着個体を見たときの第一印象は、でかい、だった。体長を測ると９８３㎝だった。でかい。とりあえず、今まで学んだとおりに調査を進める。まずはスケッチと写真撮影、そして計測。計測が終わってなんとか刀を入れ始める。まず使うのは刃渡り60㎝ほどの大包丁だ。

私は当時大包丁の経験がなかったので、大包丁は1学年上の先輩が使ってくれた。切れ込みが入ったら、そこからどんどんと剥皮《はくひ》していく。そして筋肉を取ると肋骨が現れる。肋骨を外すことができれば、内臓が見えてくる。

がしかし、不慣れなこともあって、肋骨を外せる段階になる頃にはすでにお昼を越えていた。なんとか肋骨を１本１本外し、ようやく内臓だ。

まずは肺。肺……大きい。こんなの少しも動くわけがな

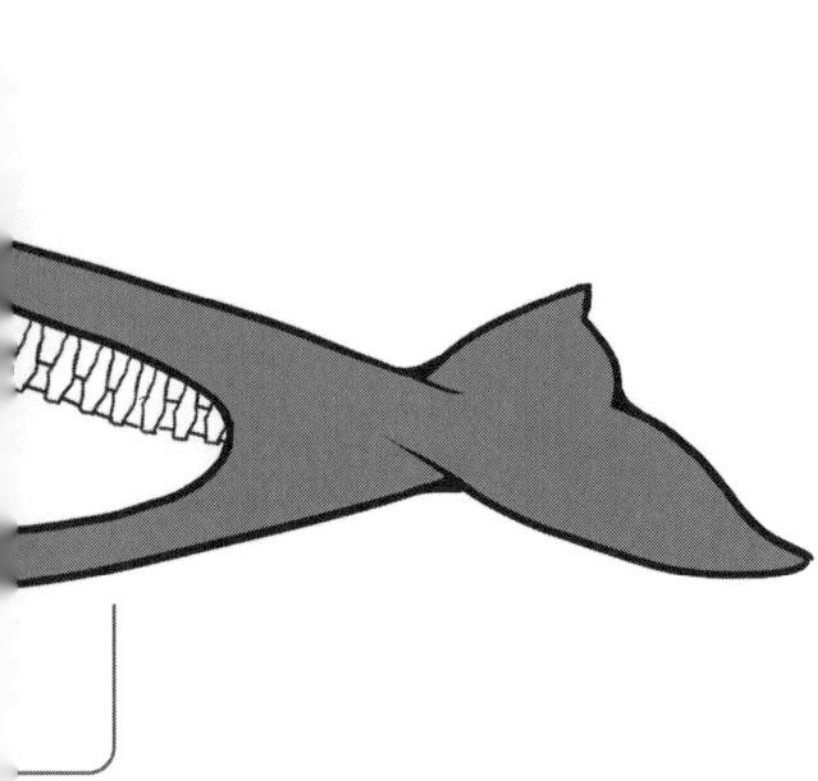

い……と思いながら、私はその肺をぽよぽよとゆすることしかできなかった。だんだんと時間は進んでいくので、なんとかできるサンプリングはしなければ、と脂皮や筋肉をサンプリングする。皆でがんばって肺を引っ張り出し、その下にある心臓を採材する。腹腔からもアプローチして、肝臓、腎臓をつかむ、くらいで日が暮れた。胃は、あるのはわかるけど大きくて大きくてどうすればいいかさっぱりわからなかった。

●ハクジラの体のつくり

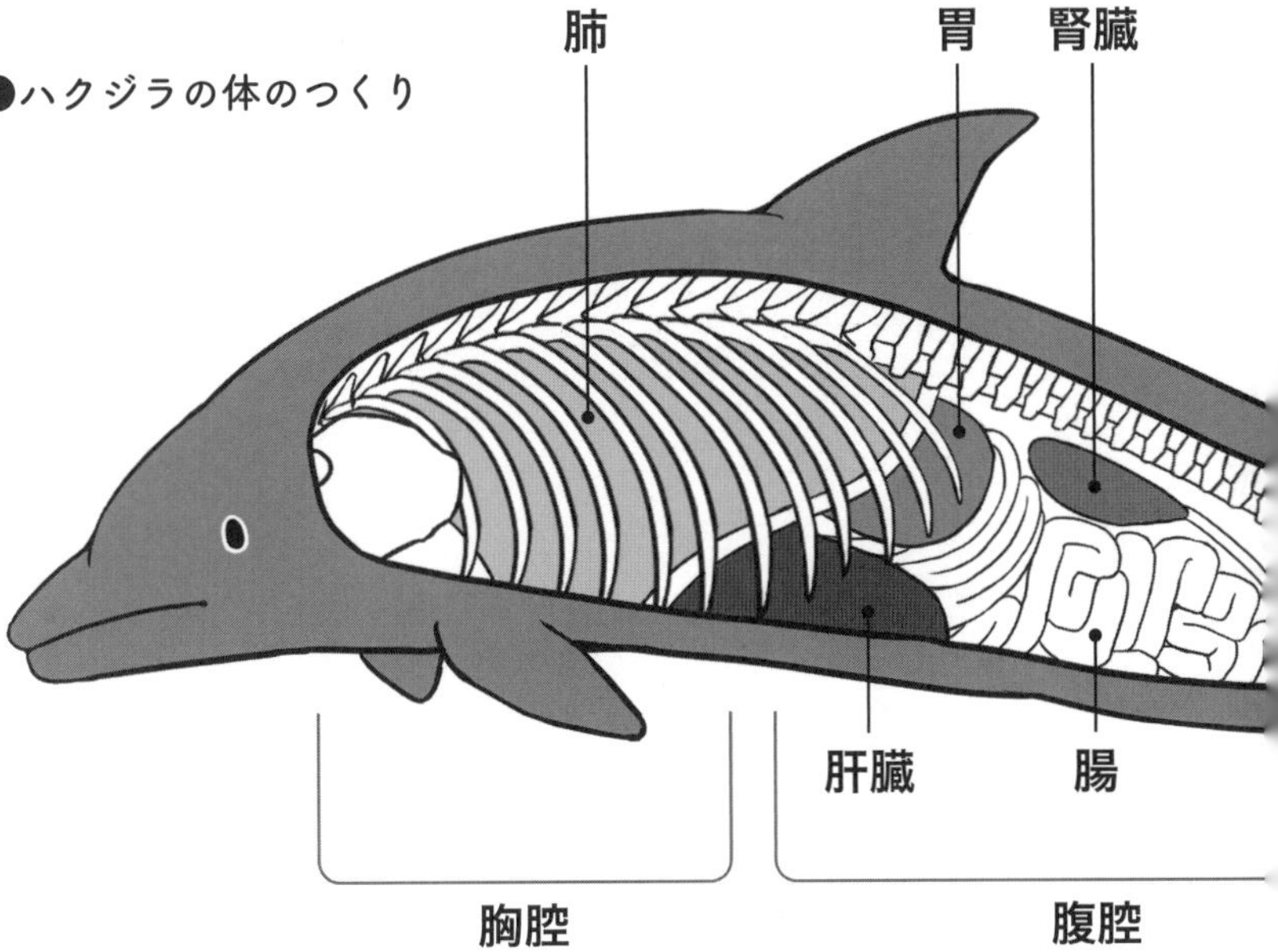

ぜんぜんだめだめだった。がんばって勉強したつもりだったけど、実際に現場に行くと全く違っていた。サイズ感も、何からやって次はこうして、という見通しを立てることも、そもそもの準備も、ぜんぜん足りていなかった。

稚内でのツチクジラ調査はあっけなく終わってしまったのだ。死んでしまった個体を、きちんと調査できなかったことは、大きなショックとして心に残った。もっともっとちゃんとできるようにならないといけない、と強く思った。そのためにはどれくらい経験を積めばいいかわからなかったけど、奮闘の日々が始まるのである。

キタオットセイの調査を手伝う

鯨類の解剖については今まで書いたとおりだが、もっともっとできるようになるためにほかの海棲哺乳類の解剖調査にも参加した。

北大鯨研の二つ上の先輩である堀本さんが、別の研究室でキタオットセイの調査を行っていた。オットセイとかアザラシも、水産学部に来るまでは、遠い海にいる生き物だと思っていたけど、北海道の海にはけっこう普通にいる。

キタオットセイはアシカの仲間だ。アシカとアザラシって混同されていることが多い。しかし、よく見るとぜんぜん違う形をしている。まず陸上での姿が違う。アシカは立派な前脚を使って、胸を張って立っている。しかしアザラシは前脚で踏ん張って立つというより、おなかをピンとそらせて寝転んでいることが多い。アシカには耳たぶがあるが、アザラシの頭には耳たぶはなく、つるんとしている。

キタオットセイは、繁殖期には日本よりもっと北のロシアの近くの無人島で繁殖活動を行うが、冬場は南下し、函館の近くにもやってくる。堀本さんは、そのキタオットセイの分布や食性を研究していた。われわれが打ち上がったイルカやクジラの調査を行うように、堀本さんは北海道で打ち上がったキタオットセイの調査を行っていた。そこで、たまにその漂着したキタオットセイの調査をお手伝いさせてもらうことにした。

イルカやクジラと違って、キタオットセイは全身に毛が生えている。毛が生えているだけで、死体の臭いは一気に変わる。なんというか、獣臭がするのだ。

同じ海棲哺乳類でも、解剖していると体のつくりがぜんぜん違うことがわかる。内臓の形も違う。手足があると、骨はこういうふうに違うんだ……などいろいろなことを感じた。獣医学部に在籍していれば、もっとほかの哺乳類の解剖を学び、そこから鯨類の特異性などに言及していくのだろうが、われわれ水産学部生にはそのような解剖の授業はないので、私の解剖経験は鯨類と鰭脚類《ききゃくるい》※1に限られる（あとは魚類と頭足類《とうそくるい》※2）。

キタオットセイの解剖にはとてもたくさん参加させてもらった。お手伝いをしながら、堀本さんに卒業研究についての相談にも乗ってもらった。自分は何をしたいのか、どんな研究をしたいのかをひたすら考えた。話すことでどんどん次の課題が見えてくる。

堀本さんも行っていた食性研究が一番興味をもったことだった。広い海の中で、イルカやクジラが何を食べて生きているのか、普段水産学部で触れている魚類や頭足類と、鯨類との関係を知りたいと思った。また、ネズミイルカの混獲も経験して、イルカたちは漁師さんの網の中に餌を食べに来ているんだろうか、というのも単純に知りたくなった。

※1 **鰭脚類**　アシカやアザラシなど、海で生活する食肉目（クマやネコの仲間）のこと。

※2 **頭足類**　軟体動物のうち、イカやタコなどが属するグループ。

卒論テーマを考える

北海道でのストランディング記録を眺めていると、２００８年にイシイルカの漂着がとても目立っていることに気づいた。ほかの年は平均４個体くらいなのに、２００８年は17個体もイシイルカの漂着があった。17個体のうち14個体は北海道日本海側での漂着だった。

生物の研究を行うとき、やっぱりどうしても標本数というのがネックになる。１個体での胃内容物報告にももちろん意味はある。例えばめちゃくちゃ珍しい種類の胃内容物であれば１個体でも論文になるだろう。しかし、ある１個体が、その生物の食性を代表しているとは限らない。その生物の食性を明らかにしたいときは、やはり同じ種で何個体も情報を積み上げる必要がある。欲をいえば、いろんな季節での食性やいろんな海域での食性、年齢による違いや雌雄での違いなんかを明らかにしてようやくその生物の食性ですといえるのだろう。

私が行っているストランディング調査は、ひたすら「待ち」の調査だ。いつ何がどこに打ち上がるかもわからないので、打ち上がることを期待して研究計画を立てることはできない。今あるサンプルでどんなことができるかを考える必要がある。

なので、イシイルカ17個体というのは魅力的な数字だった。17個体のうち、13個体で胃の採材がされていたので、サンプリング数は13になる。また、イシイルカは、古くから捕獲対象種であり、日本国内での食性研究が多く積み上げられている。捕獲個体の食性とどのように違うのか、も考察できるのではないかと思った。

そこで、私の卒業研究は、北海道に漂着したイシイルカの食性研究というテーマで行うことにしたのだ。

ここで問題がある。

待ちの調査であるストランディング調査では、まとまった個体を調べられる機会は非常に貴重。

どうやって食性研究を行うか、だ。所属している研究室には、ほかに鯨類の食性研究をしている人はいない。何を食べているかをどうやって調べればいいのか、まずはその手法を学ぶことから始めないといけない。

当時、国立科学博物館に谷田部明子さんという鯨類の胃内容物調査を行っていた方がいた。北海道のストランディング調査現場でもちょくちょくお会いしていた。松石先生から、山田先生と、鯨類の胃内容物調査を行っていた谷田部さんに鯨類の胃内容物調査方法を教えていただけないか、お願いをしていただいた。当時、国立科学博物館の研究部は新宿にあり、そこに数日お邪魔し、方法を教えていただけることになった。

へろへろになった4年生時の上京

さて、ここで次の問題発生である。研究室のお金って、どうなっているか皆さんご存じでしょうか。私は北海道内のストランディング調査に行き、九州に武者修行に行き、さらに東京に修行に出ようとしている。

そんなお金、どこにあるんでしょうか？

研究費は自分で取ってこないといけない。先生はあるテーマに沿って1年前くらいから申請書を書き、研究費を獲得してくる。松石研究室は、前にも述べたが、さまざまな研究をしている学生がおり、先生の専門は水産資源学である。クジラの胃内容物ではないのだ。つまり、私が突然クジラの胃内容物の研究をしたい！　と言っても研究費は準備されているわけがないのである。

研究費が十分にないので、いろんな節約をした。研究室によってはキムタオルという厚手のキッチンペーパーみたいなウェス（汚れなどを拭く布）を使うところも多いかと思う。キムタオルは分厚くて丈夫で、4枚くらい重なった構造になっている。ストランディング調査で便利に使うことができる。だが、もちろんタダではない。キムタオルを節約するために、4枚重なっているのをわざわざ慎重に1枚1枚はがして使ったり、なんなら一度使ったキムタオルを吊るして乾かして使ったりしていた。初めて自分で取ってきた研究費でキムタオルを1箱買ったときは、大富豪にでもなったかのような気持ちになった。

博士になるまで、本当に研究費がない日々だった。旅費ってバカにならない。家庭教師のアルバイトをしながら、できるだけ最安値で行けるよう、いろんな方法を調べた。どうしてもお金が足りないとき、両親にお願いしてサポートしてもらった。どんなにお金を使わせてしまったか、本当に申し訳なさとありがたさでいっぱいである。

九州に行った際は、最も安いであろうＬＣＣと一番安そうな宿を探した。九州大学の友人の家にも泊めてもらったりした。

東京行きに関しては、フェリーで函館から青森まで行き、青森から夜行バスに乗って上野まで行く「高速パンダ号」をよく使った。なんと片道６５００円（当時）で函館から東京に行けるのである。安いがしかし、とっても時間がかかる。あと夜行バスってぜんぜん寝られないことをそのとき知った。ホテルも、直前までとらずにいて、その日安く出るセールの宿泊プランを狙った。

東京に着くと、夜行バスで寝不足でへろへろの体で、上野駅のトイレで着替え、バックパックを背負って、満員電車に乗った。完全におのぼりさんだし、東京の電車はよくわからないしで、若干パニックになりながら、なんとか国立科学博物館（当時は研究部が新宿にあった）までたどり着いた。

今考えると、地方の大学の４年生が、たった一人で、国立科学博物館の先生方のところに修行に行くなんて、松石先生は放任にもほどがあると思う。

コラム

ストランディング調査に使う道具あれこれ

　ストランディング調査には多くの道具を使う。
まずはカメラ、できれば防水のもの。データシートに記入するためのバインダー、鉛筆。赤白棒という、測量に使うポール。黄色い折れ尺にコンベックス、巻き尺。ここまでが、外部計測に必要な道具だ。全身の計測を行うときは、上顎先端と尾びれの切れ目に赤白棒を立て、コンベックスを渡し、地面と平行になるよう調整して、計測する。それが斜めになったりしてしまうと、正しく全長を計測することができない。

　全長はとても大事な項目だ。例えば、年齢と体長の関係を正しく表すことで、成長曲線を描くことができる。成長曲線は生物の超基礎情報で、このくらいの体長のとき、○歳、という推定もできる。計測は時間がかかるがめちゃくちゃ大事な作業なのである。

　次に解体調査に使う道具だ。解剖刀は刃渡り17㎝のものを使っている。刃を交換できるようになっていて、切れ味も抜群だ。メスを使うこともある。大きな個体を解体するときは小包丁、大包丁の出番である。小包丁の刃渡りは30㎝、大包丁の刃渡りは60㎝ある。大包丁については、柄も長く、約150㎝ある。つまり全部で2m近い刃物を使うことになる。

小包丁も大包丁も、使うにはコツが必要だ。とくに大包丁については、体全体を使って、切り進めていく。腕の筋肉だけではぜんぜん切れない。腰を入れて、ゴシゴシと切っていく。私も大包丁がまともに使えるようになったのは最近だし、使った翌日は全身が筋肉痛になる。大包丁筋を鍛えないといけない。

刃物のほかには、のんこも大事だ。のんこは別名クジラ鉤《かぎ》ともいう。切り込みを入れた場所に、のんこをかけ引っ張りながら力をかける。そうすると、切りやすくなる。大型鯨類になると、切り取った脂皮や筋肉を運ぶ際にものんこがないと重たくて無理だ。

ストランディング調査のときの装備は、各研究機関によってさまざまである。私は水産合羽が好きなので、漁師さんが着ているような、オーバーオール型の合羽を愛用している。私の調査スタイルは、水産合羽に長めの長靴、頭には手ぬぐいである。たまに大型の個体の調査を行うときは、上にヤッケをはおる。手先は、ポリエチレンの手袋をしてから、ラテックスを2枚つける。ポリエチレンのほうがラテックスよりも表面に空いている孔が小さいので、臭いが付きにくいのだ。ポリエチレンの手袋だけだと、手にぴったりとくっ付かず、調査中の細かいリンパの違いなんかを感じることができないので、上からラテックスをつける。ラテックスを2枚つけておくと、とっさに血まみれの手から脱出できて便利だ。

また、かなり大きな種類を解体するとき、例えばマッコウクジラなんかがそうだが、そのときは胴長靴を使う。水産合羽だと、合羽と長靴が分かれているので、長靴よりも高い位置まで内臓に足を入れたとき、ずぶずぶと血が入ってきてしまうのだ。胴長靴は胸元まである防水ブーツなので、血が侵入してくる心配がない。

道具の運搬の仕方にも、各研究機関で特徴が出る。ストランディングネットワーク北海道では、出荷カゴと呼ばれる、農作業用のカゴを愛用している。網状のカゴなので、砂浜に置いておいても、もち帰るときに砂が払いやすい。もち運びも便利だ。

その出荷カゴの中に、あらゆる道具を詰め込んで、だいたいひと箱で調査に行けるように準備しておく。さぁ行くぞ！　となったときにあたふたしないよう、準備は万全にしておく必要がある。松石先生は刃物を研ぐのがじょうずなので、先にお願いして研いでおいてもらっておく。自分でやっても切れ味は微妙なので、ついいつも頼んでしまうのだ。

調査が終わったら、すぐに洗って乾かす。道具はただじゃない。大事に使うためにもきっちり洗ってしっかり乾かす。そして乾かした道具を、元のカゴの中に片付けるまでがストランディング調査だ。そうしておかないと、次の調査のときに後悔することになる。

CHAPTER 3

「イカ」の研究者に弟子入り

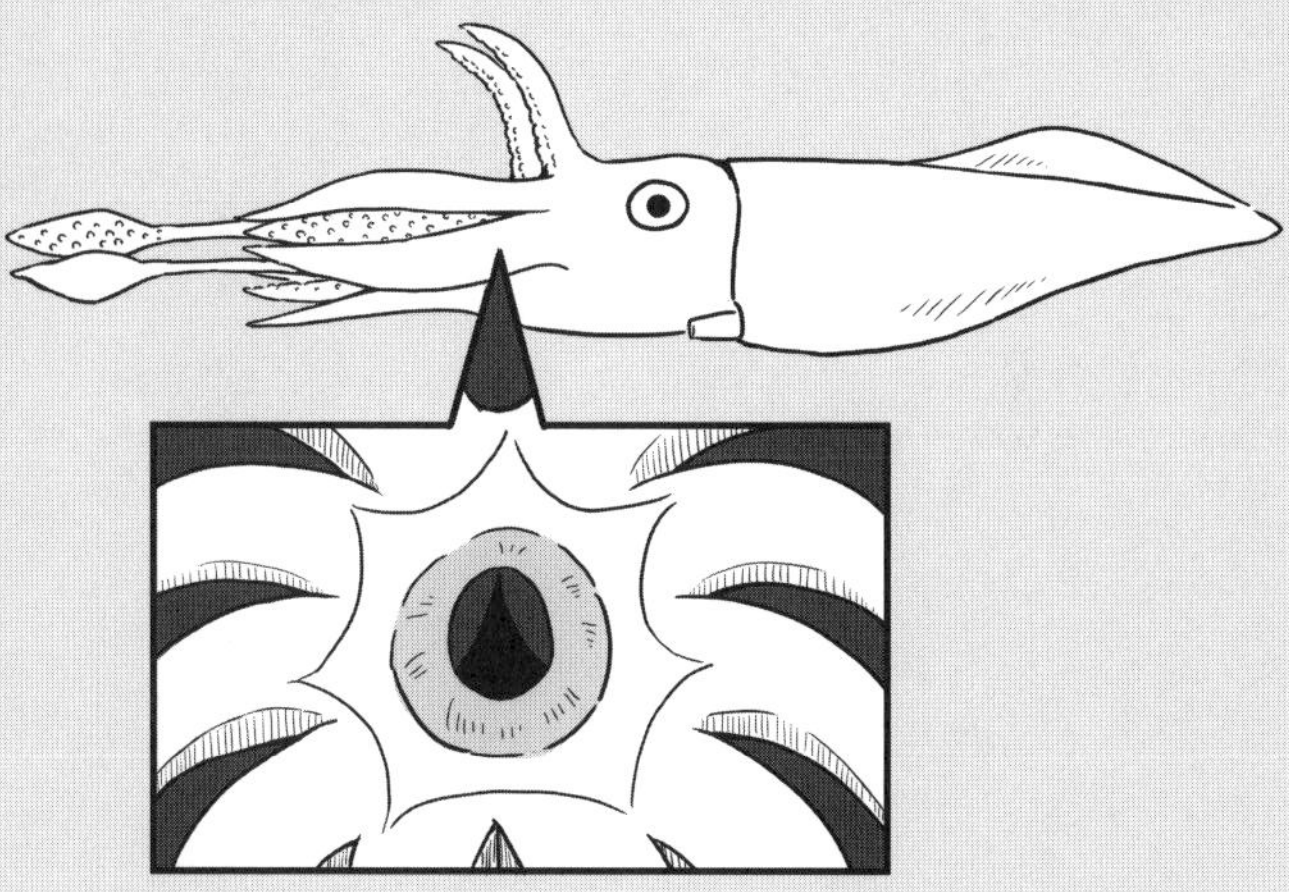

種ごとに胃の数が違うクジラたち

いよいよ国立科学博物館で胃内容物分析手法を学ぶ日々が始まった。まず、冷凍されているイシイルカの胃を解凍する。鯨類の胃は複胃と呼ばれる構造をもっている。われわれヒトの胃は単胃であり、部屋は一つだが、鯨類は胃に複数の部屋をもっている。なぜ複数の部屋をもっているのか、その理由ははっきりしていない。例えば、同じ複胃をもつウシは、反芻《はんすう》動物とも呼ばれ、一度飲み込んだ食物を、しばらくたってから口に戻して噛み、ふたたび飲み込む。胃の中に微生物が住んでおり、ウシ自身が分解できない繊維質を微生物に分解してもらっている。鯨類の胃には部屋は多数あるが、ウシのように反芻しているわけではなさそうだ。

多くのハクジラの胃は、前胃、主胃、ＣＣ[※1]（コネクティングチャンバー）、幽門胃、十二指腸膨大部に分けることができる。前胃の胃壁には消化腺はなく、胃壁を見るとどちらかというと食道がそのまま拡大したような印象を受ける。消化は主胃から始まる。イシイルカは前胃が一つ、主胃が一つ、ＣＣが二つ、幽門胃が一つ、であるが、おもしろいことに鯨

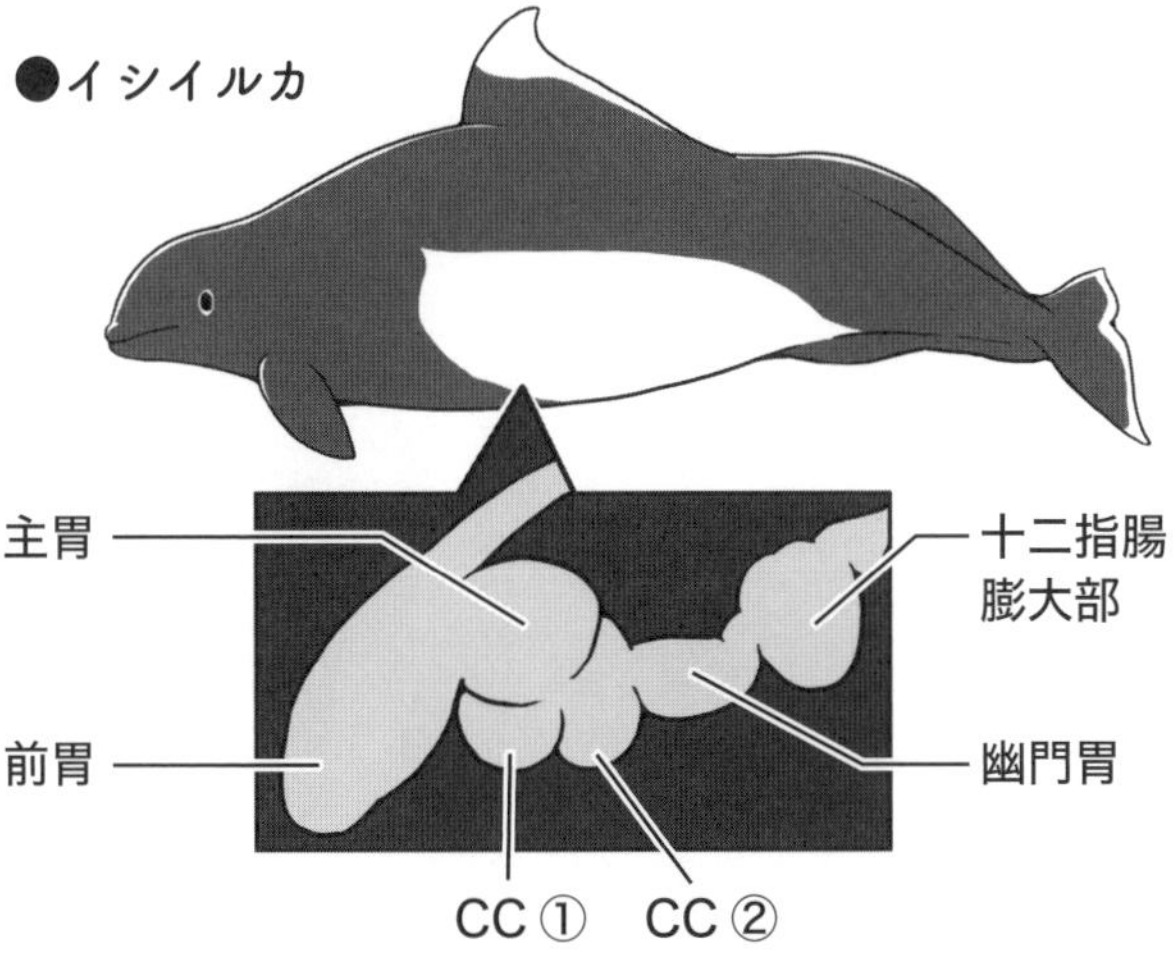

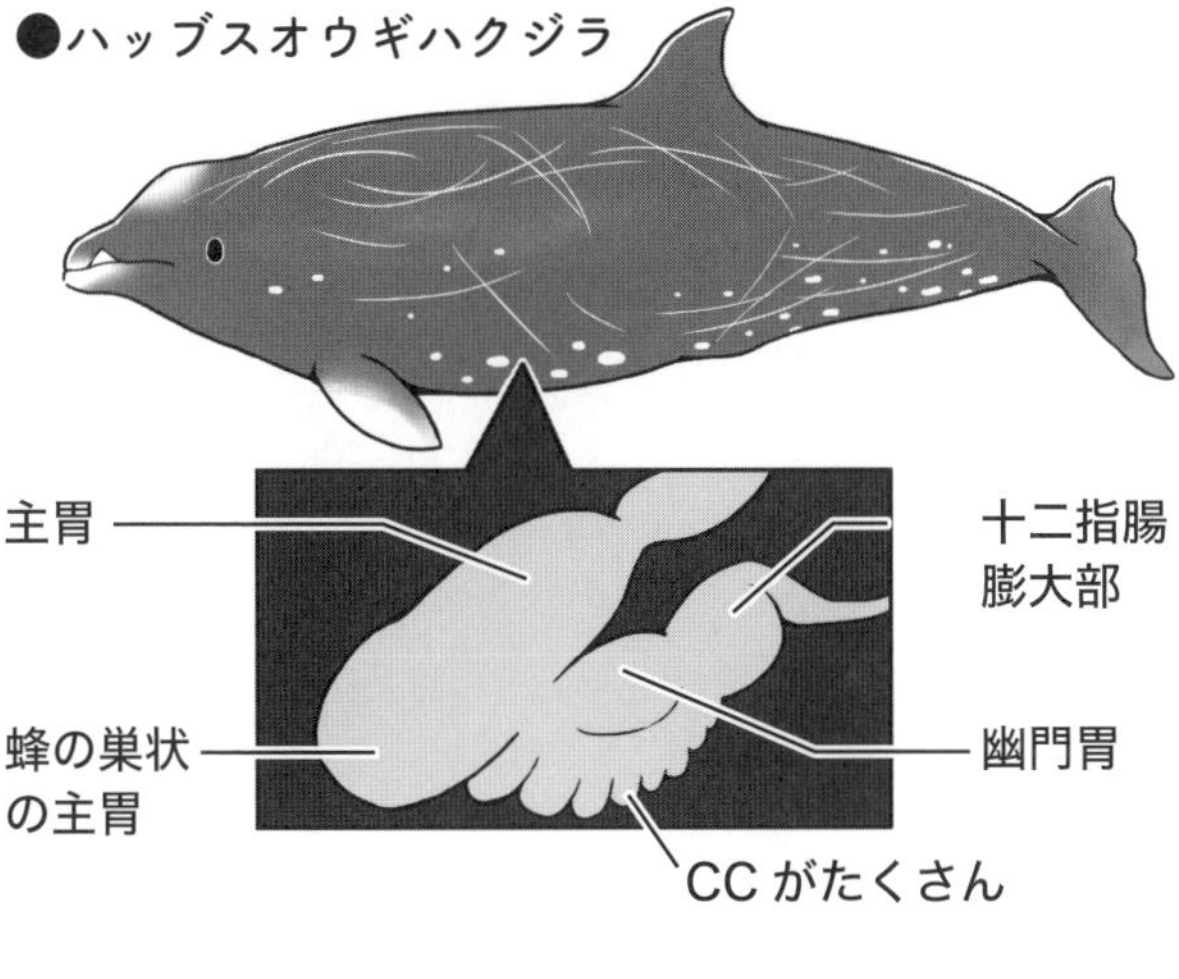

ハクジラは種によって胃の形や部屋の数が異なる。

種によってこの胃の部屋の数は異なる。

例えば、アカボウクジラ科の胃はべらぼうにおもしろい形をしている。まず、前胃がなく、食道の次はすぐに主胃である。

しかもその主胃の形も、アカボウクジラ科の中で種によって違うのだ。例えば、ハッブスオウギハクジラの主胃は、胃底部でハチの巣のような構造をもつ。そして、アカボウクジラ科のＣＣの数といったら意味不明だ。これも種によって細かい数は違うが、10個以上のＣＣをもつのだ。アカボウクジラ科では幽門胃も十二指腸膨大部も一筋縄ではいかない。本当になぜこのような不可解な構造の胃をもつのか、その理由はまだわかっていない。

鯨種によって形が違う胃なので、まずは解凍されたイシイルカの胃をよく観察する。胃の見た目をスケッチして、この部分が大きい、この部分が細長い、この部分は見えない、などスケッチしながら自分の中に覚え込ませていく。

その後、胃の各部の長さを記録しておく。今回胃を開いてしまったら、同じ個体で同じことはもう二度とできないので、記録できることはすべて記録しておく。のちに胃の形態を研究したくなったとき、ちゃんと使えるようにするためだ。もちろん外部形態の写真も撮る。その後、胃自体の総重量を測定する。そこまできてようやく次に胃を開く。

胃を開くときは、ハサミを用いて食道側から注意深く開いていく。

まずは前胃だ。前胃には消化が進んでいない餌が含まれることが多い。そのまま魚やイカがごろっと出てくることもあるが、餌の残渣《ざんさ》しか残っていないことも多い。

前胃の次は主胃だ。主胃は前胃とぜんぜん違っていて、胃壁の色が暗紫色でツルっとしたヒダがある。この胃から消化腺がある。次にコネクティングチャンバー（ＣＣ）を探す。初めの頃はＣＣを見つけるのが難しかった。主胃と幽門胃の間でうまく隠れているようだ。ＣＣの次は幽門胃、幽門胃の次は十二指腸膨大部と開けていく。

初めてイシイルカの胃を開けたときは、その構造の複雑さに、どのようにハサミを進めればいいのかわからなかった。全体像の立体的な想像ができないのだ。ああでもないこうでもないとハサミの先で探りながら進んでいく。

イシイルカの胃の中からは黒くて固くて複雑な形をした何かがたくさん出てきた。イカなどの頭足類のビーク（クチバシ）だ。

頭足類にはクチバシがある。足の付け根あたりに口球という筋肉でできた丸い部分があり、その中にクチバシがある。このクチバシは頭足類の顎である。上顎と下顎があり、それぞれ形が異なる。

カラストンビといえば、お酒を飲む方はピンとくるかもしれない。口球ごと燻《くん》製《せい》にして珍味として売られているからだ。上顎がカラス、下顎がトンビに似ているので、日本ではカラストンビと呼ばれている。

　鯨類の胃内容物ではこのカラストンビが残っていることが多い。カラストンビのうち、トンビ（下顎）を頭足類の種同定に用いる。

　イシイルカの胃から、内容物を注意深くバットの中に洗い流す。その後しばらくバットを置いておき、重たいビークやそのほかの餌生物の残渣が底に沈むのを待ち、しばらくして上澄みを捨てていく。

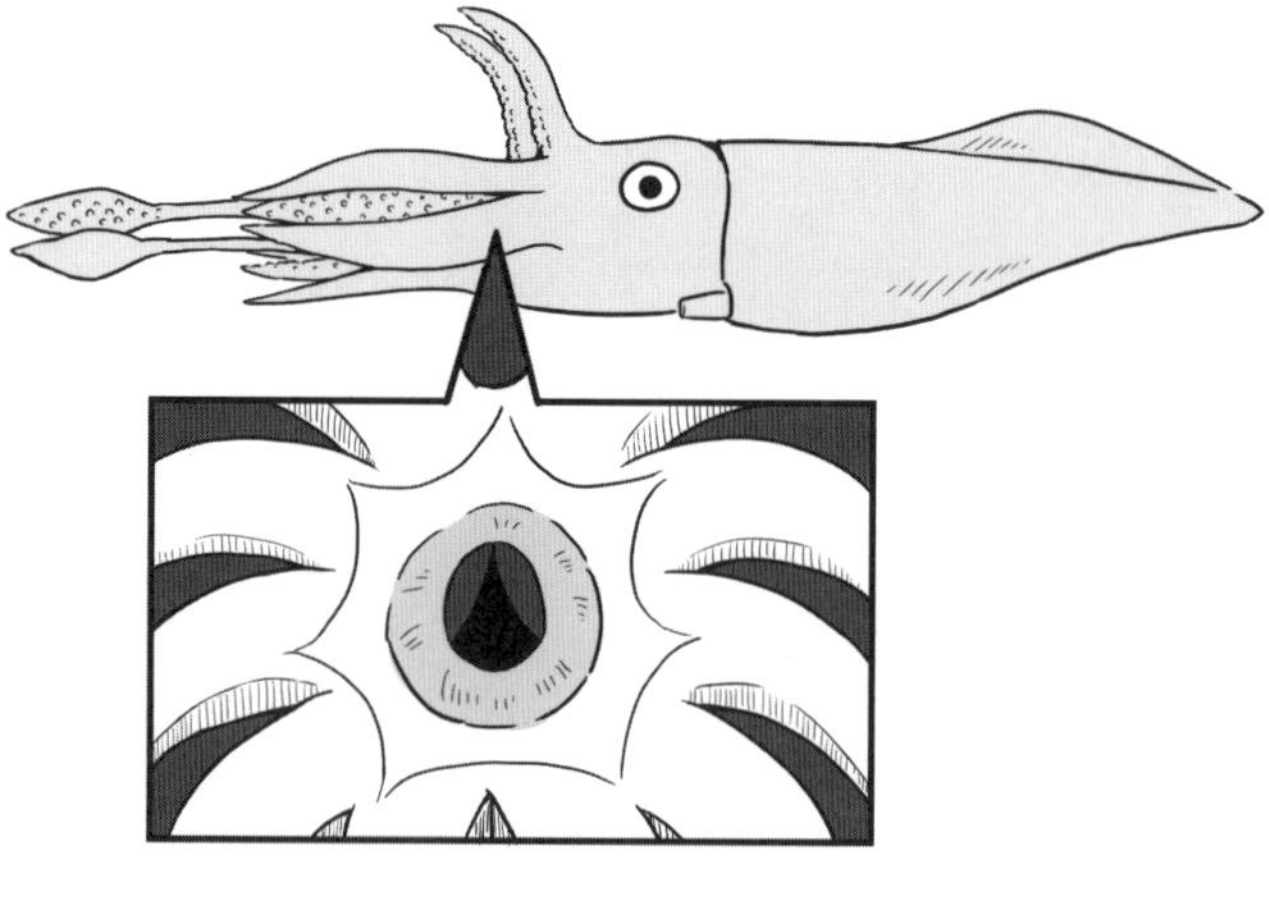

クチバシの下側が頭足類の種同定に使われる。

この作業を注意深く繰り返して、胃内容物として保存する。

集めた胃内容物を頭足類の上顎、下顎、眼球、などにどんどん分類していく。この作業をソーティングと呼ぶ。私はジグソーパズルとか編み物とかが好きなほうで、昔から延々と同じことをするのが苦ではないタイプだった。なのでこのソーティング作業はとても楽しい。最初のうちは上顎と下顎を分けることも怪しかったが、ずっと続けていくうちに形の違いに慣れてくるようになった。

胃内容物をソーティングしたら、数えられるものは数えて記録していく。頭足類の下顎や上顎を数えるのは簡単だが、眼球を数えることは難しい。よっぽど消化が進んでいない状態なら数えることができるが、頭足類の眼球というのはおもしろい形をしている。

胃内容物から眼球だけ出てきたとして、それが頭足類のものなのか、魚類のものなのかを見分けることができるものだろうか。答えはＹｅｓだ。

胃内容物中に残っている頭足類の眼球はいくつかのパーツに分けることができる。まず半分に分かれ、マトリョーシカのようにどんどんと中から小さなパーツが出てくるのだ。魚類の眼球はそうではなく、レンズの周りを紡錘形の断面のような固いパーツが覆っている。頭足類の眼球のように細かくバラバラになることはない。

というわけで頭足類の眼球を数えることはできない。どんどんとバラバラになっていってしまうからだ。

上顎や下顎などの数えられる胃内容物の数を数えたら、種同定に入っていく。頭足類は下顎から種を同定するのだが、日本にはこのエキスパートがいる。現在、国立科学博物館の名誉研究員である窪寺恒己先生だ。窪寺先生といえば、深海で、生きているダイオウイカを世界で初めて映像に残したことで有名な頭足類研究者だ。窪寺先生は北海道大学水産学部の出身で、頭足類の下顎の種同定についても世界的に知られ、国立科学博物館には窪寺先生が収集した数多くの頭足類の標本がある。その中に、頭足類の下顎標本がある。

世界的にはM・クラーク博士という、著名な頭足類研究者が、下顎による種同定を最初にまとめている。窪寺先生は『頭足類の顎板による種査定に関するマニュアル』というページをインターネット上で公開してくださっている。

下顎による検索ページを使って、順々に種同定を進めてはみるが、なかなか難しい。最初のうちは、どこに注目すればいいかわからないし、違いを認識することができない。

※1 CC　連結胃ともいわれる。主胃と幽門胃を連結する一連の小部屋のこと。このCCの形態は種によってさまざまである。鯨類だけでなく、カバの胃にもある。

頭足類下顎ラビリンス

頭足類の種同定については、国立科学博物館の窪寺先生のお部屋に直接お邪魔し、指導していただきながら修行をさせていただけることになった。

まずは胃内容物として出てきて、ソーティングした下顎を、さらに分類していくことから始める。形をよく見て、顕微鏡下でも、細かな部分を確認しながら、似ている形の下顎ごとに分けていくのだ。

意味がわからなかった。

カラストンビを見たこと

頭足類の種同定は、ひたすらリファレンス（資料）とビークを見比べていく作業だ。

のある人ならなんとなくイメージが湧くと思うが、そんな形にいろいろある？　ってなると思う。しかしあるのだ。種類によって、形はさまざまなのだ。

白い耐水紙に下顎を並べて、あーでもないこーでもないと見比べながら進めていく。やっかいなことに、同じ種類でも成長段階が違えば色が違ったり、形も完全に仕上がってなかったりする。まさに頭足類下顎ラビリンスである。

たまに、谷田部さんや窪寺先生に伺いながら、少しずつグループ分けを進めていく。そうこうしているうちに何とかいくつかのグループに分けることができた。

この部分が長いグループ、このグループはこの出っ張ったところの形が台形、このグループはこの部分とこの部分の長さの比が１対２くらい、このグループは下顎の開き具合が狭い……といった具合だ。

次にグループ分けした下顎の種類を当てはめていく。例えばテカギイカならテカギイカのビークの写真を見ながら、また、窪寺先生がもっているたくさんの実際の頭足類の下顎標本と見比べながら、これはテカギイカだろうか、はたまたヒカリテカギイカだろうか、それともササキテカギイカだろうか……などと考える。

そもそもイカにそんなに種類があるのか、と疑問に思われる方もいるかもしれない。たしかにわれわれが食卓で目にするイカは数種類だろう。スルメイカやヤリイカ、地域によってはジンドウイカやアオリイカなんかもあるかもしれない。よく冷凍イカフライとかで売られているイカは、アメリカオオアカイカという種類だ。今後ぜひ食卓にイカが並んだら、このイカは何イカだろうかと思いをめぐらせてみてほしい。

世界にイカは約４５０種類いる。とくに中深層と呼ばれる水深２００〜１０００ｍくらいの深さに棲むイカたちはとても多いのではないかと考えられているし、もっと深海になると、確かめようもない。まだまだ発見されていないイカも多いだろう。

何より、クジラの胃内容物からイカの新種が見つかることだってある。深海からクジラがイカを運んで来てくれているのだ。また、まだまだ記載されていないイカだってきっとたくさんいる。胃内容物から出てきた見慣れないイカのビークを窪寺先生に見せると、「これはたぶん○○というイカだよ。まだ種として記載されてないけど」というお返事をもらったこともある。海の中には、まだ知らない世界が広がっているようだ。

嘘をついてはいけない

イシイルカの胃内容物から出てきた頭足類の下顎をひたすら並べて見比べて、種同定を行った。下顎は全部で３７３個出てきた。

それらをじっくり見る。ひたすら観察する。そうこうしているうちに形の特徴が見えてくるのだ。スケッチをしてみるのもいい。目の前の形をありのまま描き写してみる。

窪寺先生から教わったことはたくさんあるが、印象的なエピソードが二つある。

一つ目は「嘘をつかないように気を付けないといけない」ということだ。種同定をしないと！　と焦っていたときに、種まで落とせず、悩んで悩んで、確信はもてないけど、たぶんこの種……と無理やり種に落とし込んでしまおうとしたことがある。嘘をついてはいけない、というのはとてもシンプルだけど難しい。

今私が見ているこの個体の胃内容物は、私しか見ていない。嘘をつこうと思えば、見栄を張ろうと思えばいくらでもそうできてしまう。でもそれは違う。真実ではない。

この死んでしまった個体のもっていた情報を最大限引き出すためにも、私は標本に誠実に向き合わないといけない。そう思いながら、無理やり種同定をしないよう気を付けるようになった。たとえ種まで落とせなくても、その上の属や科まででも十分意味のある餌生物情報になる。

二つ目は「先入観をもって標本を見てはいけない」ということだ。頭足類の図鑑を見ながら、この海域で打ち上がったイルカってことは、食べていたのはこのあたりに分布していたイカなんだろうなと、先入観をもって種同定してしまっていたことがあった。

そのときも窪寺先生から、「そんなのはわからないでしょう」と戒められた。図鑑の分布情報どおりにイカがいるかわ

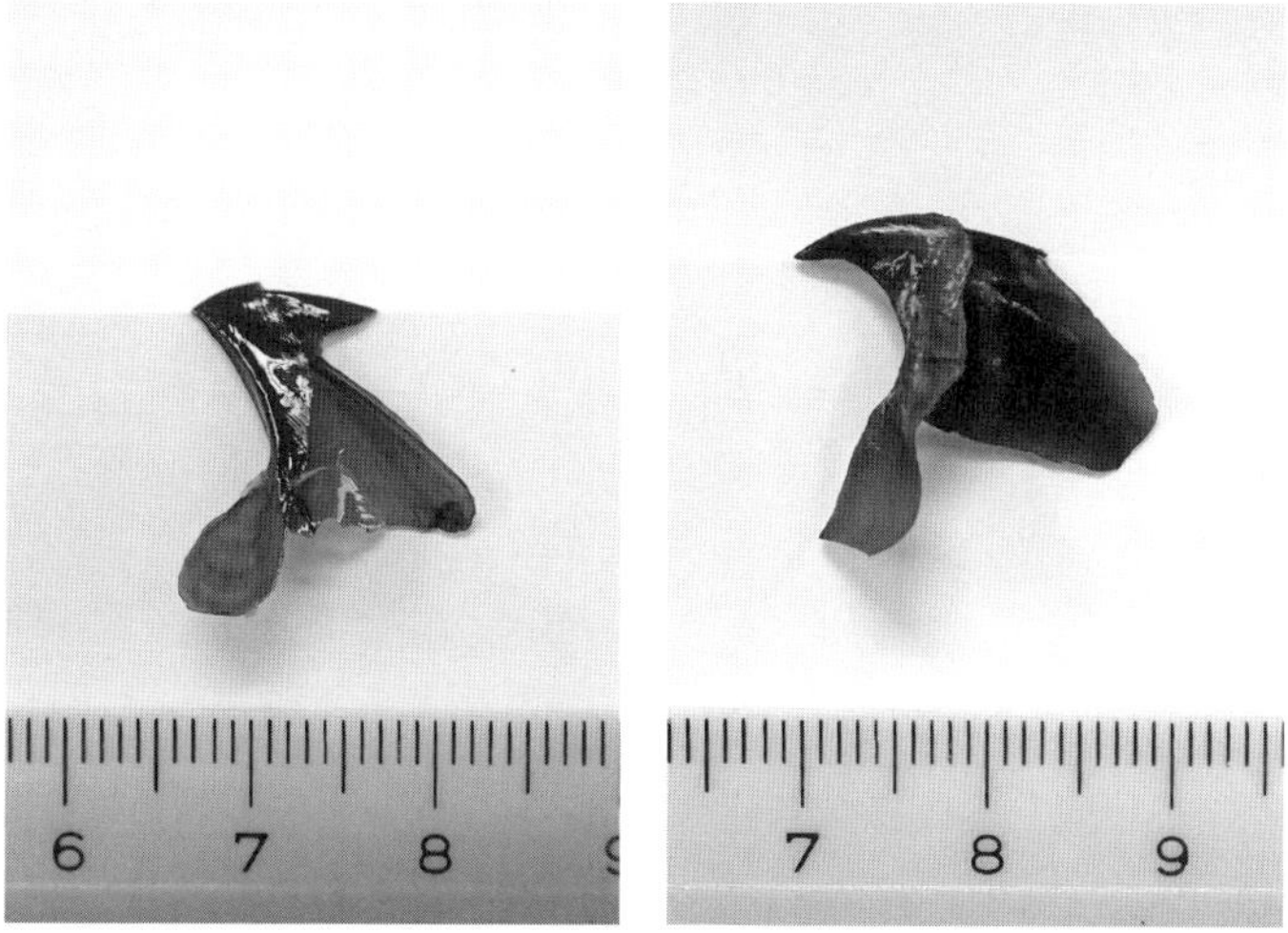

ヤツデイカのビーク（左）とウロコイカのビーク（右）。

からない、イルカが打ち上がった場所よりももっと遠くで食べたものが残っていたのかもしれない、いろいろな可能性がある。研究者はきっと、誠実に、毎回まっさらな気持ちでその対象を見ないといけないんだと思う。

今でも、下顎による頭足類の種同定をせっせと行う日々だ。今まで見たことがなかった種類の下顎に出合うととてもうれしい。今では推しビークがいくつかある。そのビークが出てくると、うれしくてしばらく眺めてしまう。

私の推しビークはヤツデイカとウロコイカだ。ヤツデイカのビークは見る向きによってはイルカが海面から顔を出しているように見えるのがかわいいなと思うところだ。ウロコイカのビークは、初めて見たとき、あまりにかっこよくて、見たことない形で、ドキドキした。窪寺先生に、「このビーク、いじわるそうな顔をしています！」と言うと、「そうだね」と共感していただけてとてもうれしかった。

耳石での魚の種同定

胃内容物から出てくる餌生物はもちろんイカばかりではない。魚類だって出てくる。魚類も、あまり消化されていない形で出てくることもあるが、魚類だったかけらが出てくるほうが多い。消化されてしまっているとき、種同定には耳石を使う。耳石とは魚類の頭の中にある炭酸カルシウムの塊だ。大きさは魚の種類によって異なるが、小さいと直径３㎜くらい、大きいと２㎝を超えることもある。ドロドロの胃内容物の中から、その小さな白い塊を探し出し、数を数える。

　この耳石の形も種類によって異なる。ぜひ普段の食卓で焼き魚や煮魚を食べたとき、頭が残っていれば耳石の探索をしてみてほしい。耳石は左右二つある。耳石もまたじっくりと顕微鏡下で観察する。耳石についても数多くの種同定マニュアルがあり、昔から耳石について研究がされていることに気づく。

　普段、水産学部にいると、魚類の耳石に触れる機会はけっこうある。耳石は成長に伴って大きくなっていく。耳石には１年に１本の成長層ができる。種類によっては観察しやすかったりしにくかったりするが、その成長層を読むことでその魚の年齢がわかるのだ。

　水産資源管理のためには漁獲された魚の年齢を知ることは大変重要である。漁獲された魚が何歳なのか、つまり何年に生まれた群の個体なのかを知ることは、資源尾数を推定することにつながるのだ。そのため、水産学部では、学部生の実験なんかで、耳石の年輪を読むという課題が与えられたりする。

また、耳石は代謝されないので、例えばそのとき生息していた環境情報や何を食べていたかという情報が蓄積されていることになる。耳石の中心から外側に向かって分析を行えば、そのときどきで、その魚がどのように生きていたか、を推定することだってできる。

私にとっての耳石はそういうイメージで、形を確認して種同定を行う、というイメージはあまりなかった。しかし耳石も種類によって形がさまざまで、とても奥が深い。

細長いのか、丸いのか、中心がへこんでいるのか、丸みをおびているのか、先端がとがっているのか、ふちはギザギザしているのか、などの形質を観察して、種同定を行う。

正直、私はこの作業がビークよりも苦手だ。これまで日本で確認された魚類は４０００種を超える。ともかく種数が多い。そのすべての耳石を確認できたわけではないので、ほんとかなぁ……と不安になりながら種同定を進める。

これも頭足類と同じで、同じ科や属の魚類であれば同じような形の耳石をもつことが多い。なので、種までは落とせなくても、嘘をつかないようにできる限りの種同定を進めていく。完全にこの種だ!!　とぴったり当てはまる耳石があるととても気持ちがいい。

また、腐敗が進んでいたりして耳石が壊れているときは、無理だ……となることが多い。

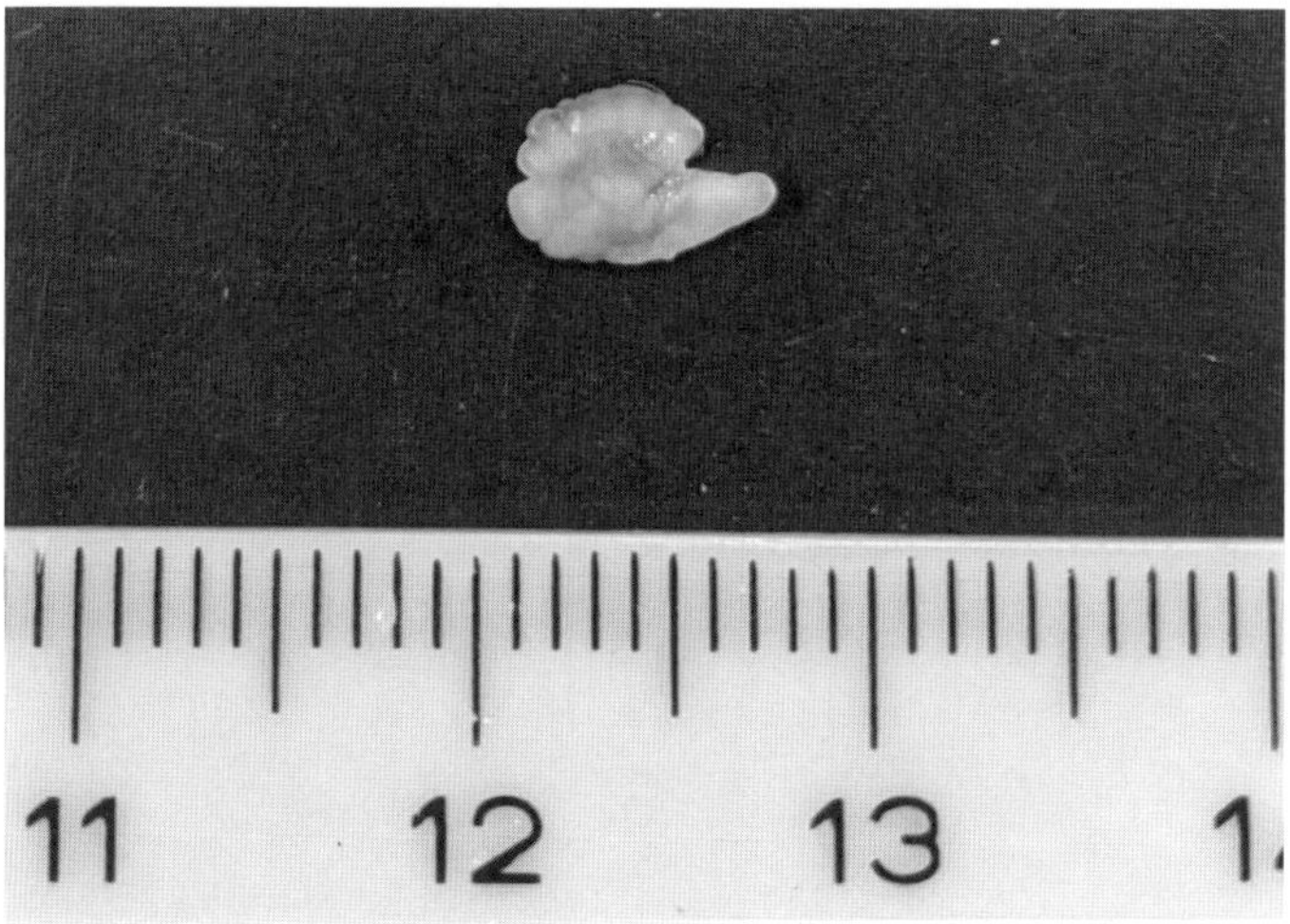

ハタハタの耳石。

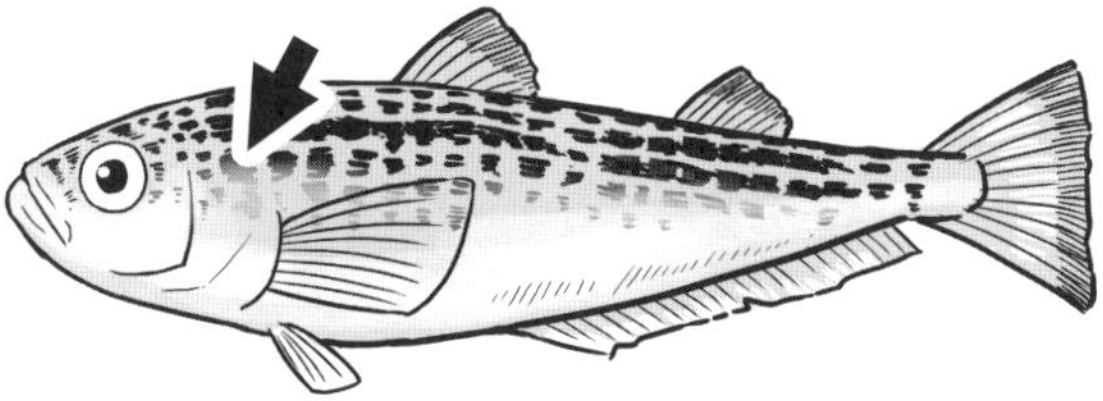

耳石の位置。なお、魚はハタハタ。ハタハタはスズキ目ハタハタ科の海水魚。

そういうときも、嘘はつかない。自分が自信をもてるところまででやめるのだ。

耳石の種同定は困難を極める。そこで、日本で鯨類の胃内容物調査を多く行っている、東海大学の大泉宏先生のところに耳石の種同定について伺いに行った。胃内容物から出てくる耳石はもろくなっていることが多く、ピンセットでつまむと崩れてしまうこともある。そういうときは少し湿らせた筆を使い、耳石を筆にからませて取るといいと教えていただいた。また、耳石から種同定を行うとき、どこに着目するかも教えていただけた。

国内の耳石のリファレンス[※1]に関する出版物ばかりを見ていたが、もっと海外のリファレンスにも目を向けるべきだということも、そのとき気づかせていただけた。なんせ魚は種数が多い。さまざまな種類の耳石を見ていないと目が慣れてこない。

いろいろなリファレンスを見比べながら、少しずつ耳石の種同定を進めていった。ちなみに、ビークと同じように推し耳石というのもある。私の推し耳石はハタハタだ。形が独特なので一発で種同定できるのが、好きなポイントだ。

※1 **リファレンス**　参考、参照の意味。ここでは、あらかじめ種類がわかっている耳石についてまとめられた資料や標本のこと。

胃内容物の分析作業はどこまでも続く

いろんな方々のご協力のおかげで、胃内容物分析手法を学ぶことができた。あとは卒業研究である、北海道に漂着したイシイルカの胃内容物分析をせっせと進めていくのみだ。古い実験棟の1室でひたすらにイシイルカの胃を開けていく。慣れてくるとそんなに感じなくなるが、胃内容物分析の臭いは少し独特だ。ただの腐ったイルカの肉の臭いではなく、胃内容物の臭い、つまり腐ったイカや魚の臭いも追加される。

夜中まで胃内容物の分析作業は続く。こつこつとひたすら胃内容物を確認し、ソーティングしていく。たまに守衛さんが見回りついでに顔を出してくださって、遅くまでがんばっているね、とチョコレートをくれたりした。北大水産学部はあったかいところだ。

イシイルカの胃を開けていると、どうやらビークばかりが出てくるようだった。種同定していかないとまだわからないが、同じような形のビークばかり出てくる。

２００８年に北海道で漂着した13個体の胃をひたすら調査していく。13個体のうち、胃内容物が出てきたのは7個体で、6個体が空胃と呼ばれる何も餌生物が残っていない状態だった。そういうこともよくある。

テカギイカ科ラビリンス

7個体分の胃内容物のソーティングをある程度終えて、下顎を集めてまた国立科学博物館の窪寺先生のところへ種同定に伺った。もちろん使うのは高速パンダ号だ。高速夜行バスに死んでしまったイルカの胃内容物から出てきた頭足類の下顎をたくさんもって乗っているなんて、思い返すとけっこうシュールである。

科博に着いて下顎を分類していこうとするのだが、なんだか似たような形ばかりで違いはほんの少しずつだ。どうやらテカギイカ科のイカばかり出てくるようである。テカギイカ科の中でも少しずつ形が違うようだが、あまりにも違いが微妙で、うんうんうなりながらのグループ分けとなった。テカギイカ科ラビリンスである。テカギイカ科のイカというのは、中深層性のイカたちで、生態はいまだ不明な点が多い。

結果として、頭足類の下顎は995個出てきた。そのうちヤリイカ科が64個、テカギイカ科が778個、ダンゴイカ科が83個、ホタルイカモドキ科が28個、種不明イカ類が2個という結果になった。頭足類以外の餌生物としてはカタクチイワシの耳石が12個体分、カレイ科の耳石が1個体分、フサカサゴ科の耳石が1個体分、壊れてしまって種同定ができなかった耳石が5個体分出てきている。

　また頭足類と魚類のほかに甲殻類も出現した。甲殻類の種同定は本当にお手上げだったが、二つ上の先輩で、水産学部のベントス（底生生物のこと）講座に、甲殻類に詳しい方がいらっしゃったので、お願いすることができた。出てきた甲殻類はクルマエビ科1個体分で、そのほか壊れてしまって種同定ができなかった甲殻類が20個体分出てきた。

　胃内容物を評価するときには、全部の餌生物のうち餌Aが含まれた割合はどれくらいだったか、という個体数組成と、調べたイルカ7個体のうち、餌Aが出てきた個体は何個体だったか、という出現頻度の二つを用いることが多い。

　イシイルカから出てきた全餌生物のうち、最も多く含まれた餌はテカギイカ科イカ類で78％だった。また、イシイルカ7個体のうち、最も多くのイシイルカが共通して食べていた餌もテカギイカ科のイカ類で出現頻度は46％だった。次に多かった餌生物もヤリイカ科やダンゴイカ科といった頭足類で、魚類はとても少なかった。

　つまり、２００８年に北海道で漂着したイシイルカのおもな餌生物はテカギイカ科をはじめとする頭足類だった、という結果になった。

日本周辺海域で捕獲されたイシイルカの食性は、東海大学の大泉先生が多くの調査、研究を行っている。１９９５年、96年、２００１年、03年に日本海側で捕獲されたイシイルカのおもな餌生物はドスイカとスケトウダラだった。

今回もおもな餌生物はスケトウダラだと思っていたのに、どうしてスケトウダラは出てこなかったんだろうか。スケトウダラの耳石はとても大きく、見落としたということはあまり考えられない。

大泉先生がイシイルカの捕獲個体の胃内容物を調べた結果、イシイルカは過去

イシイルカの北海道日本海側での主要な餌生物の変遷

1989（捕獲個体）
マイワシ
（Ohizumi et al. 2000）

イシイルカは過去にマイワシを主要な餌生物としていたが、マイワシ資源の減少に伴い、主要な餌生物をマイワシからスケトウダラにシフトした　（Ohizumi et al. 2000）

▼

1995, 96, 2004（捕獲個体）
スケトウダラ、ドスイカ
（Ohizumi et al. 2000）

近年、北海道日本海側でのスケトウダラ資源量の減少が報告されている

▼

2008年
（ストランディング個体）
テカギイカ科
（松田 2012）

イシイルカの主要な餌生物がまた変化したのかもしれない。

にマイワシ資源が減少したことに対応して主要な餌生物を変えたと示唆されていた。じつは近年、北海道日本海側のスケトウダラ資源も減少傾向にある。私が調べたイシイルカたちの主要な餌生物にも、このスケトウダラ資源の減少が影響しているかもしれない、と考えた。

次に空胃個体について着目してみた。空胃個体とは、胃の中が空っぽだった個体のことだ。空胃個体６個体のうち、５個体が、体長１０５～１２３㎝の小さな個体だった。

イシイルカは体長約１００㎝で出生し、最初の1年間で出生体長の約50%分成長するとされている。日本海側のイシイルカの個体群が繁殖する海域はオホーツク海西部で、５～６月に出産期があることから、北海道日本海側やオホーツク海側で、６～７月頃に漂着してしまう小型のイシイルカは、授乳期に母親とはぐれてしまったか、離乳してもまだ摂餌能力が低かったのではないかと考えられた。ただ、胃内容物から母乳が出てこなかったので、まだまだ憶測の域を出ない。

ストランディング最優先

ここまでが、私が卒業研究でまとめた内容である。2008年に北海道でストランディングしたイシイルカについて胃内容物を解析し、その餌生物についていろいろと考えた。しかしここまでまとめるのに本当に右往左往した。

まず結果を出しても、それにどのような意味があるのか、どうやって考察すればいいかわからない。考察するためには多くの過去の研究を調べ、イシイルカの胃内容物に関する知見を積み重ねていかないといけない。

ただ、その作業が楽しい。私が調べたこの結果に意味を加えることができるのは、私だけだ。ただその作業が難しい。さまざまな知見を引用し、いえることの根拠を探す。決して言い過ぎにならないように気を付けながら進めないといけない。

卒論発表会は2012年2月14日だった。それまでに発表スライドをつくり、たくさん練習をする。卒論発表会は研究室ごとに行う。時期になると廊下にさまざまな研究室の卒論発表会をお知らせするポスターが貼り出される。

研究室の一つ上の先輩二人が、「君たちの発表会はたくさん人が来るように宣伝するからね！」と変なプレッシャーをかけてくる。ポスターをつくって貼るだけでなく、どうやら各研究室にビラを配ったりもしたようだ。なんてことするんだ。

わかりやすいスライドを一生懸命つくる。聞いてくれる人は鯨類の専門家ではない。水産学部では鯨類の研究をしている人のほうが少ない。魚類を研究している人にも、プランクトンを研究している人にも、イカの研究をしている人にも、聞いてくれる人がおもしろいと思ってくれる発表をしないと、そもそも聞こう、と思ってもらえる話をしないと意味がない。ありがたいことに松石研究室は多くの専門分野にまたがっていることから、発表練習の際にもっとこういう内容についても説明したほうがいい、とか、この部分はもっと具体的に、と先輩たちからたくさんのアドバイスをもらうことができた。

ここまでしばらく食性研究の話ばかりしていたので触れていなかったが、ストランディングが起こればストランディング調査をする日々には変わりない。冬から春にかけて、石狩湾付近ではネズミイルカのストランディングが発生しがちである。

２０１２年2月11日、石狩から連絡が入る。ネズミイルカのストランディングだ……。ストランディングというのはだいたいタイミングが悪い。何かやろうと計画しているときに限って何か打ち上がりがちだ。ストランディング調査を任せてもらえるようになってから、ストランディングが発生すればすべての予定をキャンセルして調査に行く。

仲のよい友人とごはんを食べる約束をしていても、映画を見に行く約束をしていても、皆で海に行ってＢＢＱしようなんていう素敵な計画も、だいたいストランディングが入ってごめんねとキャンセルすることになる。ある友人には、「もうあんたはそういう人や」とあきれられ（諦められ）ていた。それでも仲よくしてくれた友人たちには感謝感謝だが、私の最優先事項はストランディング調査だ。今でもそれは変わらない。

というわけで、2月14日に卒論発表会があろうと、11日に石狩でネズミイルカが打ち上がったと連絡があれば、12日に回収に行くのだ。そういうものだ。

「ここで遭難したら死ぬ……」

2月12日、先輩に頼み込んで、一緒に石狩へネズミイルカの回収に行ってもらった。函館から石狩までは片道だいたい5時間くらいはかかる。そして冬の石狩は鬼門だ。

北海道日本海側の冬をなめてはいけない。ひどいときは道中ブリザードが吹き荒れ、文字どおり前が見えない。北海道に来て初めて知ったが、前の車をよく見ていないとぜんぜん道がわからなくなるので、ひどいブリザードのときはハザードをつけながら徐行する。

ドンピシャでひどい低気圧の日にネズミイルカの回収に行った。なんとか発見者の方のもとにたどり着き、漂着している砂浜まで案内してもらえることになった。

だが、その人の恰好が見たことないほどの完全防備だった。もっこもこの上下にしっかりとした帽子、ゴーグルに分厚い手袋をされている。それとは対照的にわれわれはぺらっぺらの合羽《かっぱ》を着て長靴

北海道の日本海側は、冬場には北西からの季節風が吹き込むため、荒れた天気になりやすい。

を履いただけの全くの軽装だ。

冬の北海道日本海側をなめすぎである。

現場の人に心配されながら3人で現場を目指す。私は初めて、ブリザードのせいで前を行く人を見失った。ここで遭難したら死ぬ、ぞっとした。それくらい前後左右がわからないのだ。

前から先輩が、「お――い、いるかぁ!!」と叫んでくれる。その声を手掛かりに進む。

初めてヒモでお互いをくくってわからなくならないようにするなんていう、どこのサバイバル番組だよみたいなことをして、なんとか現場まで歩く。歩いている途中で、明後日卒論発表会かぁ、スライドまだ完成してないなぁ……なんてバカみたいに思い浮かべながら歩く。

現場に着くと、波打ち際にネズミイルカの死体があった。凍えるほど寒いので状態はよい（とか言っている場合ではない）。

問題は荒れ狂う日本海だ。ネズミイルカをなんとかそり（雪遊びをするときのそりそのもの）に載せようと四苦八苦する。

容赦なく荒波が打ち付ける。前髪に海水を被る。自分の吐いた息も混ざって髪の毛が凍っていく。

なんとかネズミイルカをそりに積み込み、次は帰り道だ。来た道と同じように一列になって歩く。ネズミイルカはだいたい40kgくらいあるのでそれなりに重い。先輩と二人でそりを引いたり押したりしながら歩く。なんとか屋根のある場所までたどり着いて、ストーブに当たらせてもらったとき、ようやくバカなことをした……と実感がわいてきた。

よく雪山に登るような漫画を読んでいると、遭難したときチョコレートを食べたりしている。よくわかっていなかったが、ストーブに当たらせてもらいながら、現地の人が、これを食べなさいと差し出してくれたチョコレートは、それまで食べたチョコレートの中で最も意味のあるチョコレートだったと思う。

調査中に死にかけた……と思ったことはじつは何度かある。死んだクジラの調査に行って、自分が死にかけるなんて縁起でもないのだが、底なし沼にはまりかけて周囲の人に大声で助けを呼んだこともある。ケガや事故があってはいけないので、やみくもに調査を行うのではなく、下調べをして、シミュレーションをして、準備をして、本当に大丈夫かどうか考えてから調査を行う必要がある。ミイラ取りがミイラになっては意味がないのだ。

そして卒論発表会へ

満《まん》身《しん》創《そう》痍《い》でなんとか回収したあとは、また5時間かけて函館まで帰る。道中、研究の相談でもすればいいのに、われわれはそのとき、恋バナとか好きなアニメのキャラクターとかそんな他愛もない話をしながら帰った。

帰り着いたのはもう夜中近かったので、解剖調査は翌日13日に行うことにした。何度もいうが卒論発表会は14日である。たとえそうでも解剖調査は適当にしない。

その個体は１５４・６㎝のオス個体だった。いつもどおり日本全国の各研究機関に送るための採材を行う。

自分にとっては胃も大切だ。また、膵臓には硬い部分があって、切ると中からどろりとした何かが出てきた。どうやら免疫反応で、体に入った異物をカルシウムの塊で覆い閉じ込めていたようだ。いつも何かしら発見があるなと思いながら、楽しく調査を終えた。

さて卒論発表会である。14日、卒論発表会当日、先輩たちの必死の宣伝活動のおかげで発表するために押さえられていたゼミ室は、立ち見が出るほど盛況だった。同級生の友人や別の研究室の先輩、まだ研究室配属されていない後輩も、見知った顔がたくさんだ。

皆に聞いてもらえることにそわそわした。発表後の質疑応答時間にとてもたくさんの質問をしてもらえた。質問がくるというのはうれしいことだ。そもそも内容をわかってもらえないと、そして興味をもってもらわないと、質問というのは湧いてこない。

想定内の質問もあったが、想定外の質問もあり、とても勉強になった。発表後、友人から、今まで聞いた卒論発表で一番内容が入ってきたよ、と言われて、本当にうれしかった。

1年間がんばってよかった、と心から思えた。ただ、2日前にネズミイルカを拾いに行ったのは別にいいのだが、今度からはちゃんと天気予報を見ようと心に誓った。それと命より大切なサンプルはない、と心にとどめておくことにした。

コラム

ヒグマに気を付けよう

北海道にはヒグマがいる。よく知られていることだ。北海道では春になると、山菜採りに出かけてヒグマと遭遇しケガをする、もしくは死亡するというニュースが、残念ながら毎年ある。

ヒグマにとって、打ち上がったイルカやクジラはきっとかっこうのエサだ。浜辺に肉と脂の塊が転がっているのだから、クマにとっては最高だろう。羅臼《らうす》のほうでは、打ち上がったイルカやクジラに、ヒグマが寄ってくることはよくある。羅臼でマッコウクジラが打ち上がったとき、調査に行こうかなと思っていたら、現地の漁師さんから、ヒグマがすでに食事中なので近づかないようにと追加連絡があった。

石狩の砂浜でオウギハクジラの調査を行ったとき、車を停めた場所からクジラが打ち上がっていた場所までけっこう距離があったので、砂浜を歩いた。調査が終わって帰るとき、行きでは絶対になかった大きなヒグマの足跡がしっかりとあって、ゾッとしたこともある。

調査に行くときには、「ヒグマに気を付けてね」と言うことがけっこうある。前もって出没情報を調べておくことも大切だ。具体的に気を付ける方法としては、砂浜でイルカやクジラの死体を前に一人にならない、とか、できるだけ皆でしゃべって騒ぐ、とかがある。クマ撃退スプレーを準備しておくのもいいかもしれない（主成分は唐辛子なので取り扱いには十分注意が必要）。

一度だけヒグマに遭遇したことがある。ストランディング調査に向かうために、知床《しれとこ》峠《とうげ》を後輩と車で走行中、目の前に茶色い巨体がぬっと現れた。ヒグマだ。しかも子連れだ。子連れのヒグマは危険度が増す。子どもを守ろうと母親が向かってくる可能性がある。10mくらいは離れていたので、刺激しないようにとりあえず停まり、様子を見ることにした。なんて冷静に書いているが実際はパニックだった。生まれて初めて、自分が被食者の立場になってしまったのだ。全身の毛穴から汗が出るのを感じた。窓を開けていたのでとりあえず閉める。「クラクション鳴らしたほうがいいのかな？」「いやいやちょっとじっとしておいたほうがいいんじゃ……」と二人で静かに騒ぎながら様子を見守っていると、ヒグマの親子はじっとこっちを見たあと、ゆっくりと道路を渡り、藪の中に消えていった。

私と後輩はまだパニックで、「前に進んでまた横から出てきたらどうしよう!!」「でも、藪の中をこっちに向かってきていたらどうしよう!!」とぎゃーぎゃー言いながらゆっくりと進むことにした。その後、知床峠を自転車で走行している人がいて、どうか気を付けて……と念を送っておいた。

たまに、ヒグマの写真を撮るためにものすごく近づいたり、餌をやったりしてしまうことが問題になるが、本当にそういう人たちの考えていることが、私にはわからない。普通に考えて怖いと思うのだけど、どうなのでしょう。

怖いだけでなく、野生動物に餌付けするという行為はもっと取り締まられるべきことだ。ヒグマの場合、餌付けによって人を恐れなくなってしまうと、どんどんと人里にやってきてしまうことになる。そうすると、もう駆除するしかなくなってしまう。駆除されてかわいそうだという人もいるが、駆除についてあーだこーだ言う前に、餌付けをしないように指摘してほしいと思う。

CHAPTER 4

イルカの種類によって餌が違う？

どうやって安定同位体比分析を学び、行うか

4年生での卒業研究終了後、私は修士課程に進学した。修士課程では2年間かけて修士論文を作成する。

卒業研究をしていたとき、食性研究を行うのに、胃内容物調査だけでいいのか、という懸念があった。胃内容物というのは死ぬ直前のスナップショットである。つまり、死ぬ直前に何を食べていたか、もしくは食べていなかったか、はわかるのだが、もっと長期的な食性が知りたかった。めちゃくちゃ体調が悪い日と体調がよい日だと食べている餌が違うかもしれない。卒業研究で調べていたイシイルカがテカギイカ科ばかり食べていたのは、たままたその日だけだったのかもしれない。

われわれもそうだが、体というのは食べた物でつくられる。食べた物の情報は体に蓄積されていくのだ。体に蓄積された食べた物の情報を読み取ることができれば、胃内容物分析よりも長期間の食性を推定できるはずだ。

さまざまな分野の研究調査に幅広く使われている手法に、安定同位体比分析がある。原

子の中には、陽子の数は同じだけど中性子数が異なる、同位体が存在する。中性子の数が違うと、全体の重さが異なる。

そのうち安定して存在することのできるものを安定同位体と呼ぶ。例えば窒素では陽子数7、中性子数7の窒素14と、陽子数7、中性子数8の窒素15が安定同位体である。地球上の窒素のほとんどが窒素14であり、窒素15はほんの少ししかない。窒素14のほうがやや軽く、窒素15のほうがやや重い。生物を構成する有機物にも窒素14と窒素15の両方が含まれているが、その比率を窒素の安定同位体比と呼ぶ。

食べ物には窒素が含まれている。生物

死ぬ直前の食事は「いつもの」じゃなかったかもしれない。

が何かを食べると、食べた物を消化吸収し同化していくが、このとき軽い窒素14が先に使われていく。加えて、使われ方は生物が異なっても共通のため、食物連鎖の中で、低次に位置する（食べられる）ものと高次に位置する（食べる）ものでは安定同位体比に差が生じることになる。つまり、餌とその餌を食べた個体では、体に含まれる窒素14と窒素15の割合が変化する。難しく考えるといろいろあるのだが、ようは、食物連鎖の中で低次に位置する（食べられる）生物と高次に位置する（食べる）生物とでは、高次の生物のほうが重たい窒素15の存在比が高くなり（窒素安定同位体比が高いという）、餌となる低次の生物のほうが窒素安定同位体比が低くなるということだ。

　また、この安定同位体比というのは、環境によっても異なる。つまり、その食物連鎖が存在する環境によって、そもそもの安定同位体比が異なるということだ。例えばより岸に近い環境で生活しているか、もっと沖のほうで生活しているかで、炭素や窒素の安定同位体比が異なるのだ。海棲哺乳類の食性研究でも、安定同位体比分析はよく使われている。

　この安定同位体比分析を用いた食性の推定は、ほかの研究分野でも幅広く行われている。例えば遺跡から出土した化石の安定同位体比を調べると、太古の人々がおもに何を食べていたかが推定できたりする。私の研究でもぜひ加えたいと考えた。

　ただ、松石研究室は化学分析を行う研究室ではない。そのノウハウもないし、設備もない。その中でどうやって安定同位体比分析について学び、行うか、が次の課題だ。

　タイミングがいいほうだとは思うが、本当にラッキーだった。学部4年生の11月に、北海道大学の札幌キャンパスにある、環境科学院において安定同位体比分析のラボ実習が開催されていたのだ。これに出るしかない。

　安定同位体比分析に関するさまざまな講義と実際のラボ実習を5日間行った。安定同位体比分析についてまっさらな状態だったが、おかげで基礎から応用まで

●安定同位体比分析によりわかること

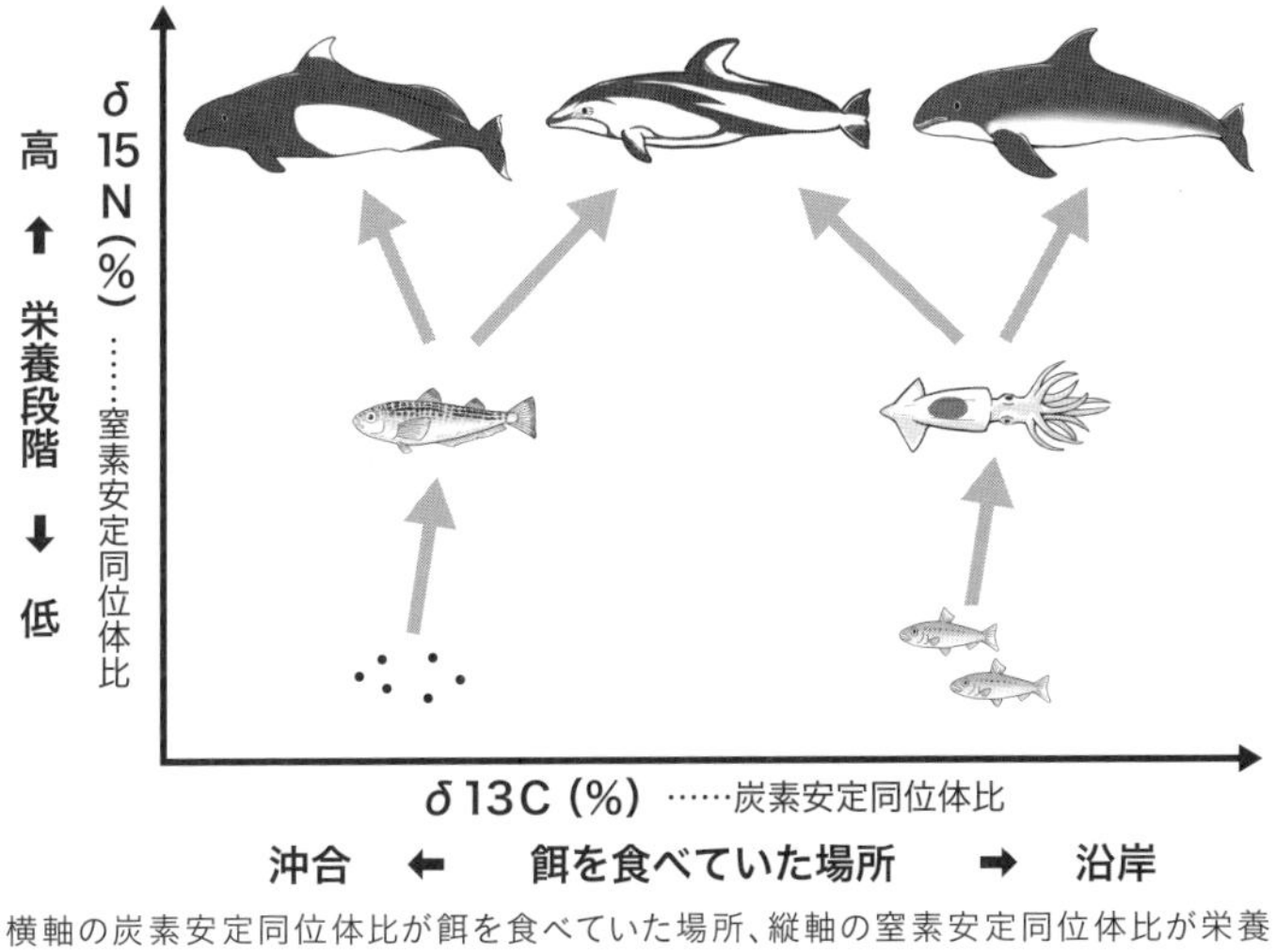

横軸の炭素安定同位体比が餌を食べていた場所、縦軸の窒素安定同位体比が栄養段階を示す。

しっかりと学ぶことができたし、何より、実際に試料を作成し、分析し、分析結果を解析し、発表をつくるところまでを体験できた。

修士論文では、胃内容物分析と安定同位体比分析の二つを組み合わせて研究を行うことにした。標本の収集もがんばった。対象をイシイルカのみではなく、北海道においてよくストランディングするイルカ3種類にまで増やすことにした。

1種類目は卒論時も扱ったイシイルカだ。

2種類目はネズミイルカだ。漂着も多いのでサンプル数もそれなりにある。ネズミイルカは小さなイルカで、北海道沿岸に生息している。そのため漁網へ誤って入ってしまって死んでしまうケースも多い。

そして、3種類目はカマイルカだ。カマイルカはネズミイルカやイシイルカと違って、マイルカ科に属している。日本の周りを回遊しているイルカで、北大鯨研で津軽海峡フェリー目視調査を行う際によく見るイルカだ。初めての学会発表を行ったとき、日本の周りのカマイルカの食性情報がぜんぜんないことにとても驚いた。何を食べているかすら、わかっていないのだ。これはやるしかない。

この3種類のイルカは北海道でのストランディング報告が多い種類である。生態系内において同じような食地位に位置しているはずなので、それぞれどのような餌を利用しているのか、その餌利用に違いはあるのか、とても興味があった。

また、修士課程に入ると、研究室に後輩が入ってきた。1学年下の4年生には、また3人の学生が入ってきた。そのうち二人とは、博士課程までずっと続く、長い長い学生生活をともに過ごすことになる。

修士課程に進んでからは毎年後輩が増える日々だった。ストランディング調査には気働きが求められる。調査の流れを把握し、今何が起こっているかをしっかりと観察して動く必要がある。わからないことはきちんと聞く。ケガがないよう、いつも細心の注意を払う。そんなことを後輩たちに教えながら調査を行ってきた。

後輩の調査研究のサポートも始まった。なかでも印象深いのは黒田実加さんだ。イルカたちは音を使って周囲の環境を認識する（エコーロケーションという）が、その音は、頭の中のメロンと呼ばれる脂肪の塊を通っているようである。黒田さんはそのメロンの音の媒質としての特性を研究していた。

その研究課程において、ネズミイルカの頭を輪切りにする必要がある。頭を輪切り、である。当初はただのノコギリで手動でギコギコと頭を輪切りにしていたのだが、途中から電動ノコギリでウィンウィンと頭の輪切りを作成するようになっていった。黒田さんが電ノコをうれしそうにふるっている光景は、正直脳裏にこびりついてはなれない。

愛しのコマッコウ

修士１年の頃は、後輩のお手伝いのほかに、ストランディング調査を行い、４年生のときの卒業研究の内容について学会で発表したり、それを投稿論文にまとめたり、自分のサンプルを処理したりを繰り返していた。

修士１年の頃のストランディング調査にも、いくつも忘れられない思い出がある。まずはコマッコウだ。

コマッコウとはコマッコウ科に属する小型ハクジラだ。コマッコウ科には、オガワコマッコウとコマッコウの２種が含まれる。あまりメジャーな種類ではないので知らない方も多いかもしれないが、私はコマッコウがとても好きだ。まずとぼけた顔（コマッコウからしてみれば失礼な話だが）が、とてもかわいい。また、コマッコウの眼の後ろあたりには偽《ぎ》鰓《さい》と呼ばれる、鰓《えら》のように見える白い模様がある。なぜあるかは不明だが、ほかの鯨類にはない不思議なところが好きだ。

　あと、何より、胃内容物がおもしろい。

北海道ではコマッコウはめったに漂着しない。本州ではちょくちょく打ち上がるのだが、これまで記録がある限り、北海道では6件のストランディングしか確認されておらず、ストランディングネットワーク北海道ができてからは、２０１１年、２０１２年、２０１４年の3件のみだ。

　２０１１年のストランディングがあったときは4年生だった。苫小牧《とまこまい》での漂着だったが、ストランディング個体の写真が来たとき、あまりのレアキャラの出現に飛び上がってしまった。現場の人は、

●コマッコウ

コマッコウ科のコマッコウ。体型はずんぐりしており、おとぼけ顔。

鰓のような模様を見て、サメかもしれないんですけど……と写真を送ってきてくださっていた。

台風が迫る9月のことで、急いで調査に向かった。現場で調査するしかなく、砂浜で調査と採材を行った。初めて見るコマッコウはとてもぽよぽよしていた。偽鰓は本当にただの白い模様でしかなかった。

コマッコウの腸の最後の部分には、腸とは別に袋があって、その中に暗褐色のぬとっとした液体が含まれている。おびえた際に肛門から煙幕のように噴出するらしい。その行動から、コマッコウには、ツナビ（綱火）という異名も付けられている。綱火とはロケット花火のような、竹筒に火薬を詰めたものをいう。なんて変なクジラなんだろう。

4年生のときはこの液体のことを知らず、なんだこれ!?　と若干のパニックになってしまった。うっかり合羽《かっぱ》に付けてしまったのだが、洗っても洗っても取れなかった。

また、コマッコウには骨盤骨がない。クジラには後肢がないが、骨盤の名残《なごり》の骨はあるのだ。しかし、コマッコウにはそれがない。一緒に調査を行っていた同期の女の子が、「骨盤骨がない！　見失っちゃったかな⁇」と焦っていたのをよく覚えている。

２０１２年のときの個体は豊頃町《とよころちょう》に座礁した。当時、帯広畜産大学の4年生だった中郡翔太郎くんが畜大に回収してくれて、畜大で詳細に調査することになった。そして国立科学博物館からも田島さんが来て一緒に解剖調査できることになった。前年のケースとは違って、解剖室でゆっくりと調査することができた。

写真の撮り方からスムーズな調査の仕方。コマッコウの肝臓の変な形のこと、胃の中で泳ぐ大量の寄生虫。野生動物にはだいたい寄生虫がいると思っていただいていいと思うが、クジラにももちろん寄生虫はたくさんいる。とくにアニサキスの最終宿主はクジラであることが多く、小さいイルカでも長さ3㎝くらいの寄生虫がたくさんいる。コマッコウの胃の中には5㎝くらいのアニサキスの仲間がうじゃうじゃといた。コマッコウの胃もきちんと採材して大学にもち帰り、後日研究室で胃内容物を調べてみた。

胃を開くと、まずは本当にたくさんの寄生虫が出てきた。コマッコウの胃にはとてもたくさんの寄生虫がいることがほとんどだ。寄生虫にとって、どうやら居心地がよいようだ。胃内容物からはたくさんのビークが出てきた。しかも、見たことのない形ばかりだ。これは種同定が難しいぞ……と思いながら標本瓶に詰めていく。

後日、コマッコウの胃内容物をもって、また科博の窪寺恒己先生の研究室を訪ねた。いざ種同定をしてみると、本当に今まで見たことのないビークばかりだったので、遅々として進まなかったが、コマッコウが食べていたイカは、深い場所に生息するイカがほとんどだということがわかってきた。ツクシユウレイイカやキタノスカシイカなど、名前すら聞いたことのないイカばかりだ。

いろいろ調べていくと、コマッコウはマッコウクジラと似たような種類のイカを好んで食べているということがわかってきた。マッコウクジラに比べると体はだいぶ小さいが、深い海に潜ってイカを食べているのかと思うと、とぼけた顔の、このコマッコウがとてもかっこよく思えた。

シャチ漂着する

修士1年の5月末にはシャチのストランディングもあった。北海道の東に位置する羅臼《らうす》町は、世界自然遺産の知床《しれとこ》を有する。羅臼からは、根室海峡を挟んで、北方四島の一つである国後《くなしり》島が見える。羅臼には時期になるとシャチが回遊してくるので、有名なウォッチングのスポットでもある。

シャチはとてもかっこいい、というその気持ちはわかる。やはり長く大きな背びれの、はっきりとした白黒の模様の大きなシャチが、悠々と泳いでいるのはかっこいい。ただ、なぜシャチだけそんなに人気なんだろう……とも思う自分もいる。コマッコウだってかわいいのに……。

その羅臼町で、シャチのウォッチングをしていた人から、シャチの死体が浮いているのを見つけたという連絡が入った。死体は港まで曳航《えいこう》され、解剖調査を行うことになった。ちなみに函館から羅臼までは車で10時間くらいかかる。北海道はでっかいのだ。

シャチの調査には、国立科学博物館からも人がいらっしゃることになった。しかし松石先生が出張中で、さまざまな連絡を取る窓口が私になってしまった。困った。まだ敬語もちゃんとしゃべれる自信もないのに、多くの人が調査にやってくるという連絡が入る。シャチは人気者なので、いろんな人から連絡が来るのだ。

とりあえず函館から行くチーム(といっても学生3人くらいだが)をつくり、レンタカーを借りることにした。骨格標本を採ることを考えると大きな車がいるからだ。

調査のコーディネートというのは本当に気を遣う。修士1年の若造がそんなことしてもいいんだろうかと思いながら、現場の確認、各機関の調査員の数、調査のスケジュールなどを把握して、連絡していく。そして函館で調査のさまざまな準備をして、羅臼に出発だ。

羅臼までの道中、だだっぴろい牧草地を横目に、終始緊張しながら運転する。もちろん初めての大きい車に緊張しているのもあるが、何より北海道はエゾシカが怖い。

北海道に住んでいると車とエゾシカの衝突事故の話をよく聞く。しかも道東はエゾシカがとてもたくさん生息している。エゾシカはとても大きい。奈良公園のシカとはわけが違う。どれくらい違うかというと、奈良公園のシカは胴の長さが大きくてもオスで１５０㎝くらいなのに対し、エゾシカのオスの胴の長さは２ｍ近くにまで成長するのだ。お辞儀させておせんべいをあげることなどまず不可能だ。

で、でかい……。

車とエゾシカがぶつかって、人のほうが死んでしまうというニュースだって聞く。ぶつかったら終わりだ。

そのうえ牧草地にはエゾシカがたくさんいることが多い。そのときもちらりと牧草地に目をやると、30頭くらいのエゾシカが優雅に草を食《は》んでいた。絶対道路に出てくるなよ、出てくるなよ、と念じながら気を付けて運転する。到着するまでに神経がすり減りそうだった。

現場になんとか到着すると、松石先生が出張先から夜行バスでかけつけてくださっていた。よかったと肩の荷が下りる。現場での仕切りは先生に任せようと思い、調査開始だ。

シャチの背びれの後ろにはサドルパッチという白い模様がある。その模様の形によって、個体識別ができたりするので、使える写真を撮るよう気を付ける。科博の山田格先生、田島木綿子先生の指揮の下、解剖調査は進んでいく。内臓を取り出し、確認し、写真を撮る。骨格をきれいに外していく。脊椎骨も一つ一つバラバラにして、標本にしやすいようにできるだけ付いている筋肉を取り外していく。

胃も出てきた。その頃はシャチの胃内容物は科博の方が調査していたので、現場で胃を開ける様子を見学させていただいた。胃の中からはイカのビークやイカの眼球が出てきていた。イメージではシャチはクジラを攻撃するのかなとか思っていたので、イカの残渣《ざんさ》がたくさん出てきて驚いた。

シャチは食べる餌などによっていくつかのグループに分けられる。このグループを生態型（エコタイプ）と呼ぶ。魚類をおもに食べるグループ、イルカやクジラ、アザラシなどをおもに食べるグループ、サメをおもに食べるグループがある。日本の周りに生息しているシャチについては、今現在も食性研究は途中段階であり、まだ研究を行っている途中だ。何せサンプルが少ないので少しずつ進めるしかない。

その後何度かシャチの調査は行ったが、２０２０年に羅臼で漂着したシャチの調査をしたときに胃を開けたところ、中からゼニガタアザラシの手だけがひょっこり出てきて、うわぁ……となってしまった。

これまでに調査したシャチの胃の中からは、鳥の羽がたっぷり出てきたことだってある。胃内容物をソーティングするとき、大量の鳥の羽に四苦八苦したりもした。魚やイカが餌となっているのは別に平気なのに、アザラシや鳥が餌として出てくるのを実際に見ると、なかなかショッキングである。胃から毛や羽が出てくる、ということになじみがないからかもしれない。シャチの食性研究は、今現在私の取り組んでいるテーマの一つだ。

北海道の子どもたちはすごい

夏になるとカマイルカシーズンがやってくる。初夏になると函館から室蘭、苫小牧周辺には多くのカマイルカが来遊するのだ。どうやらそのあたりで子育てをしているらしく、小さな赤ちゃんが打ち上がることもある。

赤ちゃんの解剖調査はなかなかしんどい。まず、成体とは臭いが全く異なるのだ。赤ちゃんの頃は、イルカもヒトと同じようにお乳を飲んで育つ。そのため、赤ちゃんの筋肉はまだピンク色で、全体的にミルクの臭いがするのだ。その臭いに包まれながらの調査は辛くなってしまう。生物全体にいえることだが、赤ちゃんの頃というのは死亡率が高くなる。つまり赤ちゃんが打ち上がる、ということはその周辺海域が繁殖海域であるということを示しているのだ。

赤ちゃんだけでなく、もちろん成体も打ち上がる。夏の室蘭は、サーファーや海水浴客が集まる場所だ。そんな中に腐ったカマイルカが打ち上がっていたりする。北海道でも夏はそれなりに暑いので、なかなか強烈な腐臭がする。イルカが打ち上がっていても、その臭いから、あまり人は集まってこないのが普通である。

しかし、室蘭の浜でいつもどおり腐ったカマイルカの調査を行っていると、小学校中学年くらいの子どもたちに囲まれたことがある。最近は高校でもあまり生物の解剖をしないらしいので、子どもたちに囲まれながら、いつもどおり手を血だらけにしながら、内臓を出していくというのはなかなか気を遣ってしまった。でもせっかく興味をもってくれているようなので、おしゃべりしながら調査を行った。

「これは肺だよ」、「この骨は脊椎骨だね」などと言いながら調査していると、

さすが、北海道の子ども。

「知ってるよ！　だってお父さんが家でシカ捌《さば》いたりしてるもん！」と言われ、あぁ、北海道はさすがだな、と思ってしまった。

「臭くないの？」と聞いても、「なんか知ってる臭いだから大丈夫！」と言っていた。自分の子どもが生まれても、こんなふうに命を身近に感じてもらえればいいなと思う。

命あるもの、切れば血が流れる。同じ哺乳類であれば、人もイルカもシカも、同じように内臓がある。そして命は臭いのだ。そんな当たり前のことを、子どもの頃から肌で知っているというのは、とても大事なことだと思う。命を大切にできるだろうと思う。

調査中に子どもたちが見に来ることはちょくちょくあるが、そのたびにできるだけおしゃべりするようにしている。今後大きくなって、誰か、ストランディング調査に興味をもってくれるとうれしい。

ああ、私の猿払クロッチ……

調査というのは体が資本である。修士1年の秋に、私はそれを強烈に実感することになる。

北大水産学部では、毎年秋にやかん杯という研究室対抗ソフトボール大会が開催される。大変歴史ある大会で、この大会に向けて猛練習をする研究室すらある。やかん杯という名称は賞品から来ている。優勝した研究室はやかんがもらえるわけだが、ただのやかんではない。お酒でいっぱいに満たしたやかんが贈られるのだ。まぁ今もそれが続いているかどうか、その真偽は知らないが、とりあえず名前の由来はそうらしい。

松石研究室は人数が少ないので、お向かいの研究室と一緒にチームを組んで参加していた。どっちかというとソフトボールは好きなので、私もせっせと試合に挑んだ。楽しく参加するあまり、私はソフトボールを顔面に受け、額を切り、鼻の骨を折ってしまった。なかなかの流血事故になってしまったのだが、病院へ急行し、その治療を受けている最中に、松石先生から電話が入る。

まじか、今か、まじか、と思いながら電話を取る。先生から電話がかかってくるなんてだいたいストランディング発生時である。案の定、「猿払《さるふつ》でクロッチだよ!」という声だ。

まず猿払というのは日本最北の村で、稚内《わっかない》の東に位置し、ホタテが有名である。クロッチというのは、2019年9月に新種として発表された、北海道が誇るクロッチクジラのことだ。クロッチの新種発表のためにも、ストランディングネットワーク北海道はクロッチらしきストランディングがあればせっせと調査し、標本を集めていた。調査に行くしかない、そんな個体だ。

「先生ごめんなさい、今やかん杯で流血事故起こして鼻の骨が折れて病院にいます」と大事なことだけを手短に話す。先生が電話の向こうで少し固まっているのを感じた。

きっとバカだと思われたに違いない……。だって自分でもバカだと思うもの。

とりあえずお大事にと言っていただき、電話を切る。あぁ、私はなんてバカなんだ……と思いながら、ダメ元で、診ていただいていたお医者さんに、「あの、クジラの解剖に猿払に行ってもいいですか……?」と聞いてみた。

お医者さんは、「え?　クジラ?……猿払……?」と少し固まってしまったが、「それは身体を動かす調査ですか?　だとすればだめです」と、答えはもちろんＮｏだった。

そうだよなぁ、と肩を落としながら自分の鼻がぱっきり折れているレントゲン写真を見た。初めて自分の顔のレントゲン写真を見てテンションが上がり、思わず、「これってデータもらえたりしますか」と聞いてみたが、答えはＮｏだった。つくづくしょんぼりである。画面の写真だけ撮らせてもらって、応急処置を終え、とりあえず大学に戻った。

大学に戻ってからは、調査に行ってくれる人をひたすら探した。別の研究室にいる北大鯨研の先輩方にも声をかけ、後輩たちにもお願いした。なんとか、松石先生をはじめとし、学生４名の調査員を確保することができた。直接お願いに行った先輩方は、私の腫れ上がって、ところどころ血の付いた顔を見てぎょっとしたに違いないが、調査を快諾してくれて本当に感謝である。

調査は体が資本である。けっこう無理をしてしまうことはあるが、無理はいずれたたってしまう。しっかりと調査するためには、できるだけ万全の体調でいたほうがいい。例えば切羽詰まっていて徹夜した翌日、調査に行かないといけないとなったとき、車を運転するわけにはいかない。刃物をもつことだって危ない。一瞬の気のゆるみで、一生調査研究ができなくなることだってあるのだ。

あぁ、猿払のクロッチ、調査に行きたかった……と後悔しても、私の鼻の骨は手術するまで治らない。調査に行きたいのなら、無理はしてはいけないのだ。どんなときも体が資本である、と身に染みて学んだ。

ストランディングは突然に

ストランディングはこちらの都合に関係なくやってくる。２０１３年1月5日、松前町でオウギハクジラのストランディングがあった。オウギハクジラというのは、その名のとおり、扇型の歯をもつハクジラの仲間である。体長は５ｍ程度で、日本海側でストランディングすることが多い。

　このオウギハクジラ、日本でその存在が初めて認識されたのが１９８０年代であり、まだまだ生態は不明な点が多い。洋上で観察されることも少ないので、生物情報のほとんどがストランディング個体から得られている。つまり、ストランディング調査がとても重要だということだ。

　1月5日というのは学生にとっては、まだお正月休みを引きずっている頃だが、そんなことは関係なくストランディングは起こる。冬休みということもあって、調査人員はだいぶ集まった。しかし冬の日本海側は鬼門だ（2回目）。

　オウギハクジラの解剖調査は外で行った。吹雪の中、われわれは外で解剖調査を行ったのだ。オウギハクジラの解剖を始めるとほんのり中が温かい。内臓の隙間に手を入れて、凍える手を温める。寒いと鼻水が垂れるということも実感した。しかしその鼻水は垂れた先から凍っていく。

お正月明けであろうとクジラは打ち上がるし、吹雪《ふぶき》であろうと外で解剖調査するしかないときはやるしかない。帰りに寄った温泉のぬくもりはきっと一生忘れないと思う。

お盆の時期にストランディングが重なったこともあった。小さい頃、地元でお盆に海に近づいてはいけないと言われたなぁと思いながら、われわれが目指したのは野付《のつけ》半島だ。野付半島は北海道の東の端にある、28kmにもなる砂嘴《さし》であり、とても特殊な地形だ。野付、という名前は、アイヌ語のノッケウから来ているらしい。ノッケウとは下顎を意味し、砂嘴の形をクジラの下顎になぞらえて付けたものだと考えられている。多くの渡り鳥が飛来し、ラムサール条約登録湿地にも登録されている、自然豊かな場所だ。

そんな野付半島にオウギハクジラが漂着した。黒田さんと4年生の後輩と一緒に、調査に出発した。野付半島の風景はとても不思議だった。生えている植物の背がとても低く、湿地が広がっている。こんな風景が日本にあったのかと感動しながら現場へ向かった。

ネイチャーセンターの方に案内していただいて、現場でオウギハクジラの調査を行った。残念ながら内臓はほとんど腐ってしまっていたが、頭骨をもち帰ろうと、車のトランクに積み込んだ。

調査後はせっかくなので、ネイチャーセンターの方に案内していただいて、野鳥観察

●オウギハクジラ

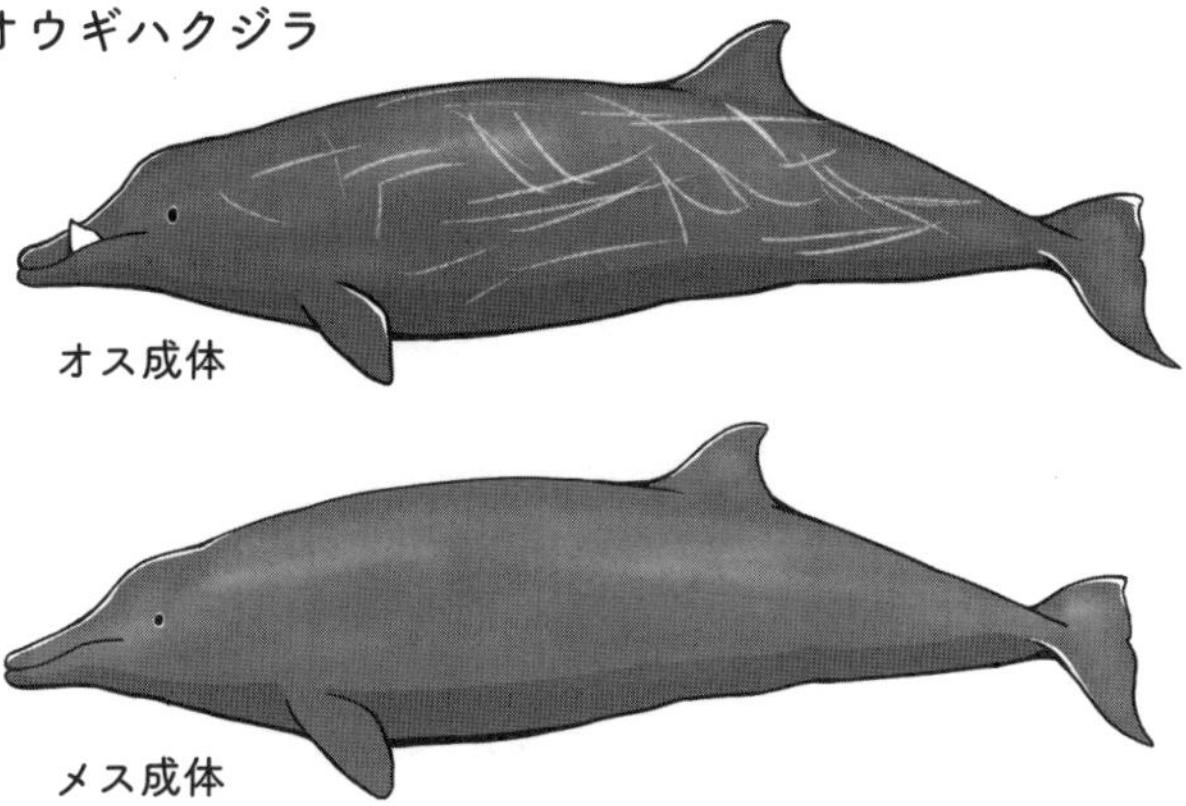

アカボウクジラ科オウギハクジラ。オス生体には繁殖期の闘争によるといわれる傷跡がある。歯は下顎に一対のみ。オス生体の歯は飛び出ており、扇の形に似ている。

真冬のオウギハクジラ調査(SNH13001)。

に出かけた。絶滅危惧種であるヘラシギがちょうど来ているとのことで、わくわくしながら見に行った。調査も楽しかったが、野付半島の自然を満喫できた調査だった。

野付半島での調査後は釧路へ向かった。ぐずぐずに腐ってしまったマッコウクジラの漂着情報が入ったからだ。とりあえず現場で筋肉と脂皮、歯を採材して、「いやはや2連続でよくがんばったね！」とお互いをほめたたえながら、その日は釧路に1泊した。

翌日、函館への帰り道も3分の1まで来たくらいで、ストランディング通報の電話が鳴る。また釧路市で今度はミンククジラの漂着だった。もう着替えがないよ……と嘆きながらミンククジラのもとへ走った。現場で調査をして、何もありませんように、と願いながら、今度こそ函館へ帰った。ストランディングは重なるときは重なるものである。

北海道にストランディング調査機関をつくりたい

修士2年になり、修論に本腰を入れ始めた。ちなみにまだ就活はしていない。修士1年の頃に、調査研究が楽しくて仕方がなくなった私は、博士課程に行くことを心に決めていた。あと3年、と許してくれた両親、本当に本当にありがとう。

もう一つ、私が博士課程に進もうと心に決めた理由がある。北海道でストランディング調査をメインで行うようになってから知ったことだが、ストランディング調査を仕事にすることは難しいのだ。衝撃的だった。世の中には用意されていない仕事もあるのだ。

大学の先生になればできるのかもしれないが、先生になることはとても難しい。条件に合うポストがないといけないし、自分の研究業績だってたっぷりないと、先生にはなれない。そして近くで見ていると、大学の先生というのは、研究業務以外に教育活動や大量の事務仕事などでめちゃくちゃ忙しい。ストランディング調査を専任するのは無理だと思った。ストランディングネットワーク北海道もただの任意団体である。国内に目をやっても、そもそもストランディングネットワークが存在するのも限られた地域のみである。

ストランディング調査を行う研究機関があってもいいんじゃないかと思った。そして、今ないならつくればいいんじゃないかと思った。そのためには、私は博士号を取るべきだと思った。

そのとき私には夢ができた。北海道でストランディング調査を行う研究機関をつくりたいという夢だ。先輩に、なんで博士課程に行くの、と聞かれたとき、この夢を語ったら、無理だろと笑われた。笑われてショックだったので、しばらく誰にも言わないことにしたし、その先輩のことは嫌いになった。でも私の中に生まれた大切な夢だった。

それはストランディング調査後の臭いかも

修士2年の秋、ザトウクジラのストランディングがあった。別の現場の帰りに寄れそうだったので、調査員3名で現場へ向かった。現場との打ち合わせでは、処分業者の人もすでに現場にいるので、写真を撮ったり、体長を測ったり、筋肉を採ったりするくらいしかできないと言われていた。

今までの経験からそんなに時間もかからないだろうなと思い現場に行くと、処分業者の方が一人で途方に暮れていた。聞くと、クジラをバラバラにしないと運べないとのことだ。体長を測ると約８３０㎝あった。そんな大きなザトウクジラを、解体をしたことのない人が一人でバラバラにできるわけがない。

話が違うじゃないか……と思いながら3人でザトウクジラをバラバラにすることになった。ザトウクジラは大きい。それを学生3人でバラバラにするというのはけっこうな無理難題だ。しかもそんなつもりで準備してきていない。

私は大きなクジラに上り、刃を入れていった。脂皮をはがすためだ。目の前にはたくさんのハエの卵がある。そう、それなりに腐っているようだ。これが孵《かえ》るとウジになるなぁ……とちょっと背中がぞくっとした。

ザトウクジラは脂肪が厚く、その分体内に熱をため込みやすい。つまり死んでしまってから腐るのが速い。鼻はどんどん麻痺していき、臭いはあまり感じなくなる。そのうち、自分からも同じような臭いが発せられるようになるのだが、そんなことには残念ながら気づくことはできない。

そこからは無我夢中でザトウクジラの解体調査を行った。脂皮をはがし、筋肉をはがし、肋骨を外す。大きなクジラなので、胸腔の中に入り込み、内臓をサンプリングしていく。文字どおり、クジラのおなかに入ったことになる。

どろどろに溶けた内臓を分け、なんとか進めていく。夕方までにクジラをバラバラにしないといけない、と言われていたので、作業は急ピッチで進めた。なんでできたのかわからないほど集中していた。なんとか終わった頃には体中どろどろで、へとへとだった。

業者の方にはものすごく感謝された。どうしようと途方にくれていたんです、来ていただいて本当に助かりました……！　と言われ、よかった、なんとかなった……と思った。

そして、どうしても温泉に入りたかった。北海道にはたくさんの温泉施設がある。調査後に温泉に寄るのは調査の楽しみの一つだ。現場近くにも大きな温泉施設があったので、ウキウキしながら入りに行った。

脱衣所で服を脱いでいると、遠くのほうで女の子の声が聞こえた。

「お母さん、なんか臭い！　ここ臭い!!」

忘れていた。腐ったクジラは臭いのだ。……聞こえないふりをしながら大急ぎで服を脱ぎ、もっていたビニール袋の中に汚れた調査着を詰め込み、きつく結んだ。そして逃げるように体を洗いに行った。

ごめんね、そうだよね、臭いよね……と思うがしかし、大きな声で臭いと言われるのはなかなか辛い。もしあなたが温泉に行ったとき、かぎ覚えのない何か腐った臭いがしたら、もしかしたらそこには、ストランディング調査後の誰かがいるかもしれない。

カマイルカから耳石４０００個

修士論文の話に戻そう。修士課程では、ネズミイルカ、カマイルカ、イシイルカの胃内容物分析を進め、さらに安定同位体比分析を行う。

胃内容物調査を行っていると、胃を開けている段階ですぐに、３種で違いがあることに気づく。

まずネズミイルカの胃内容物から出てくるビークはびっくりするほど小さい。気を抜いていると見つけられないくらい小さい。ピンセットの先で１㎜ほどの小さな小さなビークを拾い上げ、集めていく。

カマイルカの胃内容物からはたくさんの細かい耳石が出てくる。夏の室蘭で調査したカマイルカは、けっこう腐っているので、耳石が胃壁に食い込んでしまっている。一つ一つ、丁寧にピンセットで外していく。多いときは１個体から４０００個くらいの３㎜程度の小さな耳石が出てくる。それを一つ一つピンセットでつまんで形を確認していくのだ。

４０００個だ。単純に魚の数に換算すると、１匹の魚には二つの耳石があるので、魚２０００匹分の耳石が胃の中から出てきたことになる。何かを４０００回つまんで確認するという作業をやったことがある人はなかなかいないのではないだろうか。

そしてイシイルカはやはり見覚えのあるテカギイカ科イカ類のビークばかりが出てきた。

修論では、ネズミイルカ16個体、カマイルカ18個体、イシイルカ15個体の胃内容物を調査した。

安定同位体比分析には、各個体の筋肉標本を使った。今まで集めてきたネズミイルカ、カマイルカ、イシイルカの筋肉を冷凍保存していたので、その標本を確認し、切り出していく。個体番号を見るたびに、一つひとつのストランディング調査のことが思い返される。いちいち振り返ってしまうのでぜんぜん進まない。安定同位体比分析には、ネズミイルカ35個体、カマイルカ19個体、イシイルカ14個体を用いた。

安定同位体比分析に使用する筋肉はほんの少しだ。個体同士が混ざってしまうコンタミが起きないように気を付けながら、少しずつ切り出していく。切り出した筋肉を脱脂、乾燥させ、粉末状にする。化学の実験をあまりやってきていなかったので、何時間たったら次はこうする、という実験手順をこなすのに精いっぱいだった。粉末状にした筋肉を小さなスズでできたカップに包んで、ようやく分析に入る。

分析機器は北大水産学部の別の研究室にある分析機械を使わせていただいた。ちなみにその年を最後に、その分析機械はなくなってしまったので、本当にラッキーだった。

修士2年までの間に集めてきた一個体一個体を思いながら研究を進めていく。修論をまとめて、一番最初に指導教官に提出する原稿のことを初稿と呼ぶ。松石研究室では、初稿の提出期限が、その年の12月31日、除夜の鐘が鳴り終わるまで、と定められていた。つまりそれまでにまとめて、一度先生に提出しないと、おそらく卒業は無理だということだ。

ただ、私はどうしてもニュージーランドに行きたかった。旅行ではない。初めての国際学会だ。修論は、正直かなりよくない状況だったのだが、私はどうしてもニュージーランドでの学会に行きたかったのだ。

初めての国際学会

２０１３年12月に、ニュージーランド、ダニーデンのオタゴ大学において、The Society for Marine Mammalogy（国際海棲哺乳類学会）という学会の2年に一度の大会が開かれると知り、開催地がニュージーランドということに心躍り、学会に参加することを決めた。国際学会の要旨締め切りは早く、しかも査読が入る。つまり参加できるかどうかは、その要旨の善し悪しが評価されて決まるのだ。２０１３年4月に要旨の締め切りがあったので、修士1年のときに、楽しく調査したコマッコウの胃内容物についてまとめて、ポスター発表で要旨を登録することにした。

要旨が通過するかどうか、ドキドキしながら結果を待っていたが、なんとか参加できるという連絡が来て、大喜びでニュージーランドへ行くことにした。修論の初稿提出期限の2週間前だというのに。

お金はなかったので、格安飛行機のチケットを取った。宿泊先は、京大でアザラシの研究を行っていた友人が、日本の海棲哺乳類研究を行っている学生に連絡を取ってくれて、皆で格安のモーテルみたいなところに宿泊することになった。旅費については、北大水産学部が国際学会へ行く学生を支援するための助成を行っていたので、それに応募することにした。

修論はさておき（おいていいのか？）、初めての国際学会、初めてのニュージーランドにわくわくは止まらない。飛行機の中で、修論このままだとまずいよなぁと思いながら、逸る気持ちが抑えられなかった。

学会会場に到着して圧倒された。世界中には、海棲哺乳類を研究している人がこんなにもいるのか、とびっくりした。1000人を超える研究者たちが集まるのだ。どこもかしこも海棲哺乳類研究者でいっぱいだ。たくさんの会場に分かれていて、この部屋は行動、この部屋は生理、この部屋は病理、というふうに、同時進行でめまぐるしくたくさんの発

NEWZEALAND
VISIT NEW ZEALAND · VISIT NEW ZEALAND ·
12/12
10:30 AM
45941039332057648

表が行われていく。ポスター会場も広く、要旨集を読んでおいて、目当てのポスターにたどり着く必要がある。

私は食性を専門にしていたので、たくさんの食性研究の口頭発表やポスター発表を探して聞きに行った。自分の研究と違うところは何か、自分の研究に生かせることはないか、と頭フル回転で参加する。英語でのコミュニケーションは難しく、途中でへばってしまう。

自分のポスター発表のとき、日本人の修士2年の学生の発表をいったい誰が聞きに来てくれるというのだろう……と不安になりながらも、実際はコマッコウに興味のある研究者、食性研究を行っている研究者が、同じ目線で話を聞きにきてくれた。通用するんだ！と思ってとてもうれしかった。

国際学会では、日本で海棲哺乳類を研究する研究者にもたくさん出会えた。いろんな大学の学生と知り合うことができた。普段ストランディング調査ばかり行っているので、例えばイルカの行動を研究している学生とはあまり会う機会がなかったのだ。同じようにがんばっている、年の近い人がいることはとても励みになることを知った。そのとき知り合った友人たちとは今も変わらず仲よくしてもらっている。

学会の空き時間、シロアホウドリの観察に行ったり、世界最小のペンギンであるコガタペンギンやニュージーランド固有種のキガシラペンギンの観察ツアーにも参加したりした。思い切って、セッパリイルカのウォッチングにも行った。ニュージーランドといえばやはりセッパリイルカである。ニュージーランドの固有種で、大きく黒い背びれが特徴だ。ニュージーランドらしい大自然を満喫し、ニュージーランドに来てよかった、と思いながらも、帰ったら待っている修論の初稿提出締め切りを思ってげんなりした。

修士論文提出

楽しくそして学びの多い初めての国際学会も終わり、ついに締め切りの待つ日本へ帰る。帰りの飛行機が遅れ、トランジットに失敗したのも、もはやよい思い出だ。

修論初稿提出はあくまで12月31日、除夜の鐘が鳴り終わるまで。研究室の同期３人でひたすらに机にかじりつく日々が始まった。クリスマスも同期３人で研究室で迎えた。せっかくだからとケーキを買いに行き、メリークリスマスとケーキを食べて、すぐに机に戻った。除夜の鐘を聞きながらなんとか先生に原稿を送り付け、ようやく年が越せそうだ。

年明けにはすぐに先生から原稿が返ってくる。先生と打ち合わせをしながら原稿を改訂していく。修論はほかの研究室の先生にも見ていただく必要があるので、ある程度完成した原稿をほかの研究室の先生のところへもっていき、コメントをもらい、また直す。ひたすら修論を作成した。ニュージーランドへ行っていたのが遠い昔のようだ。

　北海道によくストランディングするネズミイルカ、カマイルカ、イシイルカの３種類の胃内容物を調査した結果、いくつかのことがわかった。

　ネズミイルカは海底に潜っているような小さなイカやイカナゴ、スケトウダラの小さい個体をよく食べているようだった。ほかにもカレイの耳石も出てきて、こんなペラペラした魚をどうやって丸のみしたんだろう、と想像して楽しくなった。砂に潜っているような餌をネズミイルカがどうやって食べているんだろうと考えるのも楽しい。

　カマイルカは表層で群れているような餌が好きなようだった。例えばカタクチイワシやマイワシなんかが含まれる。あと、イカだとスルメイカが多く出てきた。カマイルカはネズミイルカやイシイルカと比べると、大きな群をつくるので、群れている餌を群れている仲間皆で一緒に食べるのかもしれない。また、どちらかというと人間も漁獲しているような種類の魚やイカを餌として利用しているようだ。ネズミイルカと同じようにスケトウダラも食べていた。ただ、同じスケトウダラでも、胃から出てきた耳石のサイズから、元のスケトウダラのサイズを推定してみたところ、カマイルカのほうが大きなスケトウダラを餌として利用していたことがわかった。

　イシイルカはやはり中深層に生息するテカギイカ科イカ類を食べていた。3種類の餌の重複度を調べてみると、海域ごとに比べても4～20％くらいでネズミイルカ、カマイルカ、イシイルカでの餌の重複はあまり見られないようだった。北海道でよく打ち上がる3種類が、それぞれ異なる餌をおもに食べていることがわかった。

　では安定同位体比分析の結果はどうだろうか。胃内容物は短期的な記録でしかない。たまたま死ぬ直前そうだっただけかもしれない。

　炭素と窒素の安定同位体比を分析し、3種間で比較した。その結果、安定同位体比も3種間で異なる、という結果になった。

　例えば一番深い場所に生息するテカギイカ科イカ類を食べていた日本海のイシイルカたちの炭素安定同位体比は、ほかの2種よりもより沖合で摂餌していたことを示す値だった。つまり中深層にいるテカギイカのような、比較的沖のほうにいる餌をおもに利用していることに間違いなさそうだ。

　また、カタクチイワシやマイワシを餌として利用しているカマイルカの窒素安定同位体比（窒素15の存在比）は、ほかの２種類よりも低くなった。カタクチイワシやマイワシは、大型魚類にも摂餌されるような海洋生態系における栄養段階が低い魚類だ。カマイルカの窒素安定同位体比がネズミイルカやイシイルカより低くなったということは、カマイルカがほかの２種類のイルカよりも低い栄養段階の餌を食べていたと考えることができる。つまり胃内容物分析結果と安定同位体比分析結果とで矛盾のない結果になったのだ。北海道によくいる小型ハクジラ類３種は、餌をめぐって競合していないようだった。

　そしてもう一つ安定同位体比分析からおもしろい結果が出た。卒論でイシイルカの小さな個体は、胃の中に餌が残っていなかったことを紹介した（１０７ページ）。そしておそらく、母親とはぐれてしまったのではないかと考察していた。その小さな個体の筋肉の安定同位体比を分析したところ、窒素の安定同位体比がほかの大きな個体よりも、だいぶ高くなったのだ。

　母乳は母親からつくられる。つまり、イカなどの餌に比べると、母乳はイシイルカ自身なので、餌としてはイカよりも母乳のほうが栄養段階が高くなるのだ。小さな個体で窒素の安定同位体比の値が高くなったということは、ほかの大きな個体よりも栄養段階が高い餌、つまり母乳を飲んでいた、ということが、安定同位体比分析からも明らかにすること

修論結果まとめ

ネズミイルカ

- 幅広い餌生物（底生〜表層、集群〜単独）を餌として利用

カマイルカ

- おもに表層性、集群性の生物を餌として利用
- ほかの2種に比べて栄養段階の低い（栄養段階の下位の）生物を餌として利用

イシイルカ

- 中深層の生物を餌として利用
- ほかの2種に比べて沖合域で餌を摂る

ができた。

これらが、ざっくりとした、私の修士論文の内容の紹介である。今紹介したような内容について修士論文にしてまとめ、なんとか提出にこぎつけた。

出し切ったあとの解放感は半端なかったし、北海道でいつも打ち上がるイルカの食性を明らかにした！　というやり切った気持ちも大きかった。

そして次の興味も湧いてきた。北海道だけじゃなくて、本州では、イルカたちの食性はどうなっているんだろう、ということだ。例えばコマッコウについても胃内容物調査の結果、ほかのイルカたちとは違っていて、深い場所のイカを好んで食べていたことがわかった。種類が変われば食性が変わる。おもしろいテーマだと思った。

また、過去にイシイルカは、餌資源の量に合わせて主要な餌を変えていた。じゃあ今後、環境が変化して、また魚やイカの量が変わったら、ほかのイルカたちの食性も変わってしまうのだろうか、とドキドキした。

まだまだ私の食性研究は続くな、と確信して、修士課程が終わったのだ。

CHAPTER 5

まだまだ続くよ研究は

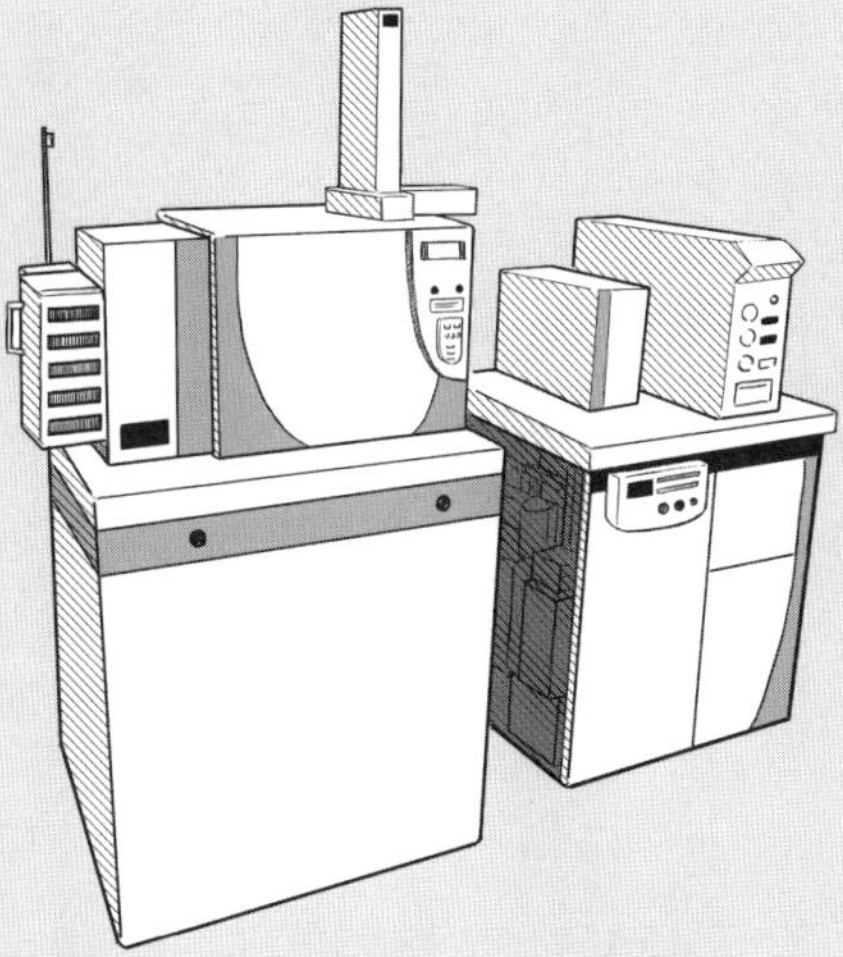

博士課程スタート

博士課程というのは基本的に3年間だ。条件を満たし、博士論文ができていれば短縮して出ることもできるし、その逆で論文ができていなかったら、最長6年まで延ばすこともできる。博士課程でも、後輩のお手伝いをし、ストランディング調査をし、食性研究として胃内容物分析と安定同位体比分析を行うということは、修士の頃から変わらずだ。問題は、修士の頃に安定同位体比分析をさせていただいていた、北大水産学部にあった分析機械がなくなってしまったことだ。

どうしよう……と頭を抱えていたところ、北大鯨研の初代だった方から松石先生に連絡が入る。私はそれまで会ったことのない方だったが、そのとき東京大学の大気海洋研究所で博士課程に在籍されていて、その研究室でクジラの標本を使いたいので、提供していただけないか、というお願いの連絡だった。そしてなんとその研究室では、安定同位体比分析のための分析機械が使える状況にあったのだ！

ストランディングネットワーク北海道としては、標本を提供するのは何の問題もない。

東大から先生方がいらっしゃったとき、自分の研究内容について説明し、安定同位体比分析をさせていただけないかと相談することができた。そして快諾していただけたのだ！本当にめぐり合わせというのは不思議である。これで博士課程でも安定同位体比分析ができることになった。

次は標本についてだ。北海道の小型ハクジラだけでなく、本州の個体の食性研究も行い、小型ハクジラの食性を比較したいと思い、標本を所持しているさまざまな場所で計画をお話しし、お願いをした結果、多くの標本を見させていただけることになった。これまで築いてきた関係があってこそだった。

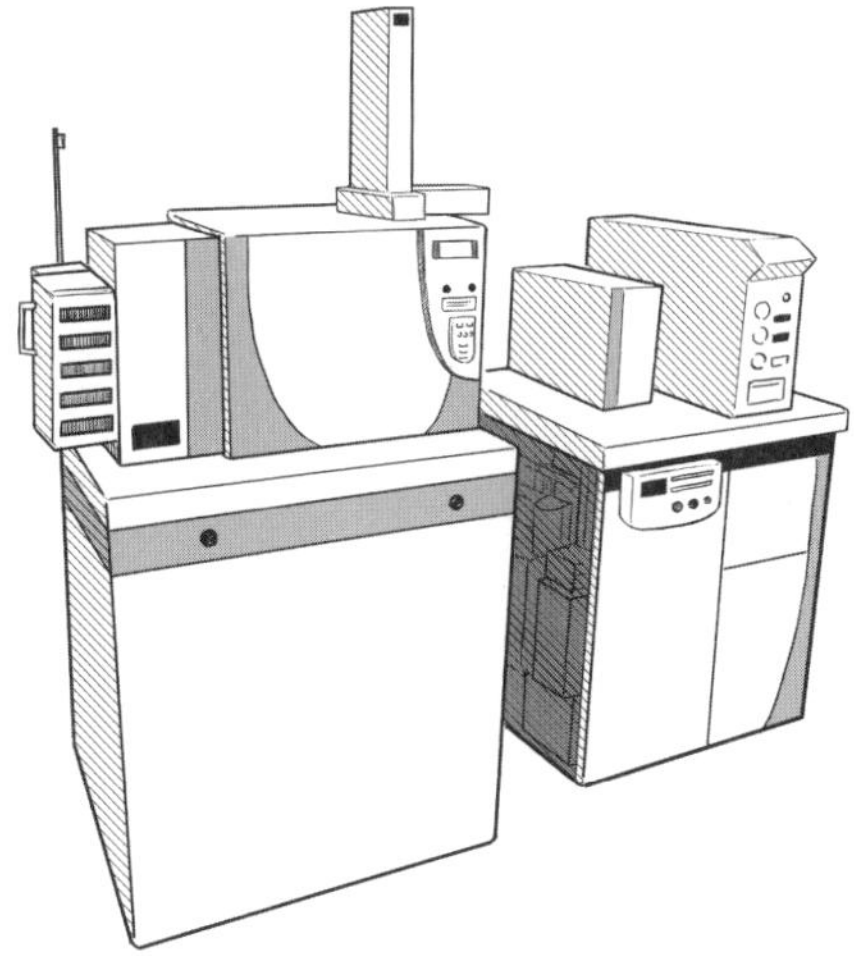

安定同位体比分析の機械。

怪しくないです！　イルカの死体なんです！

博士課程中のストランディング調査での思い出深い回をいくつか紹介したい。

２０１４年は赤ちゃんイシイルカが数多くストランディングする年だった。２００８年もそうだったが、どうやら数年に一度、赤ちゃんイシイルカが多くストランディングする年があるらしい。なぜかはわからないが興味深い現象だ。修士論文作成時、赤ちゃんイシイルカの窒素安定同位体比が高いことに驚いたが、今回もそうなのか。標本をひたすら集めるため、赤ちゃんイシイルカばかりを拾いに何度もオホーツク海側に通った。

２０１５年の１月は、道南福島町でミンククジラのストランディングがあった。北大水産学部出身者は、北海道内の市町村で公務員になることも多い。福島町役場の当時水産担当にいたのは、１学年下の北大鯨研の後輩だった。おかげで大変スムーズに連絡が付き、真冬ではあったがきちんと現場で調査することができた。各市町村に、われわれのことを知ってくれている人がいるというのは、とても大きな意味がある。なにより、かつてかわいがっていた後輩と、現場で一緒に仕事ができたことがとてもうれしかった。

２０１５年の２月末、小樽市でネズミイルカのストランディングがあった。２月末は雪もまだ残るがたまに雨が降る。現場の砂浜に出る細い道は、根雪で埋まっていたが、進めなくはなさそうだ。研究室の４年生の後輩と二人で現場を目指す。

往きはよかった。根雪はしっかりと固まっており、無事現場でネズミイルカを拾い、車に載せることができた。

問題は帰りだった。海岸沿いの細い道を走っていると、雨が降り始めたのだ。積もった雪に降る雨というのは最悪である。タイヤの走行する場所だけ、雪が溶けやすくなっていき、途中で車は完全にスタックしてしまった。つまり、車のおなか部分だけ積もった雪に乗っかり、タイヤの下にあったはずの雪が雨で溶け、ぬかるんでしまっていたのだ。

どうにもこうにも車を進めることはできない。完全に動けなくなってしまった。もうすぐ日も暮れてしまう。周りには何もない。こうなったら、とロードサービスに連絡するしかなかった。

電話をし、救助を待つ。しばらくして、ロードサービスの車が助けに来てくれた。助かった！　と思った。お兄さんがやってきて、これはまた大変な場所ですね、と声をかけてくれた。牽引《けんいん》するために、私の車の前方にフックを掛ける必要がある。車のトランクにフックがあるはずなので、開けて出してもいいですか、と言ってくださる。

あ、はい、いい……くない!! 車のトランクにはネズミイルカの死体が載っているのだ。

「大丈夫です自分で出します! チョットマッテクダサイ!!」とあたふたしながら車から降りてトランクのほうへ回った。トランクにはブルーシートに包まれた１５０㎝くらいの塊がある。確実に怪しまれたと思う。

「これはなんですか……?」とやはり聞かれた。うぅ……と思いながら、「じ、じつはこの先の浜にイルカの死体が打ち上がってまして、あの、それを拾いにきてまして、北大の者なのですがあの、はい」としどろもどろになりながら説明した。お兄さんは、「へぇ、それは大変ですねぇ」とリアクションしてくれたが、きっと頭の中はハテナでいっぱいだったことだろう。

「あの、けっこう臭うので、じ、自分で出しますね!!」とフックを探し出しお兄さんに渡した。その後はロードサービスの大きな車に牽引してもらって事なきを得た。

お兄さんもきっと変に思っただろうけど、私もとても変な汗をかいた。雪が積もっているところに降る雨は最悪、とまた私の中に覚書が増えた。

利尻島滞在は4時間

2015年4月11日、利尻《りしり》町立博物館から、オウギハクジラのストランディング通報が入った。ストランディング調査を始めてから、離島での調査は経験したことがなかった。処分のスケジュールを聞くと、解剖調査ができそうだ。これは行くべき！　と、利尻島を目指した。

函館からまずは稚内《わっかない》を目指す。函館―稚内間は意外と9時間くらいで行ける。稚内で1泊したあと、朝イチのフェリーで利尻島を目指した。フェリーに乗りながら少し目視調査なんかもしながら楽しく島へ渡った。

利尻富士の壮大さに心震わせながら、オウギハクジラの現場まで向かった。現場は吹きさらしで、風も強く、砂埃が容赦なく吹き付ける。調査を始めたのはいいものの、切り出した筋肉にはまんべんなく砂埃がくっ付いてしまう。いつの間にか自分も砂まみれだ。それでもしっかり調査を行い、きちんと胃をもち帰る準備もした。

夕方のフェリーで稚内へ戻るつもりだったので、まだ少し時間がありそうだ。これは利尻島を観光できるぞ！　とうきうきした。利尻町立博物館の方に案内していただいてお昼ご飯にラーメンを食べていたとき、電話が鳴った。

松石先生だ。そう、先生から電話があるときは十中八九ストランディング発生時なのだ。なんてこったと思いながら、電話に出る。

「様似町《さまにちょう》でハッブスオウギハクジラだよ！」との声。

またそんな珍しいことが起きるなんて！　様似町は、えりもよりもちょっと西に位置する。ハッブスオウギハクジラというのは、オウギハクジラの仲間で、オウギハクジラと同じく生態はほとんどわかっていない。しかもそのハッブスオウギハクジラ、連絡があった時点ではまだ生きていたというのだ。その後、先生から写真が送られてきたが、本当に波打ち際でばたばたしている状態だった。そんなきれいな状態のハッブスオウギハクジラ、見たことなかった。

残念ながら、その後すぐに死んでしまったそうで、翌日には調査が行われることになった。国立科学博物館やそのほかいろいろな研究機関から調査にいらっしゃるとのこと。函館からは、松石先生と学生2名で別のチームを組んで現場へ向かうとのことだった。

――行くしかない。たとえ今利尻島にいても行くしかない。

予定していたフェリーを1本早めて、稚内へ戻る。初めての利尻島滞在はたった4時間程度で終わってしまった。稚内から様似町は7時間半くらいだ。北海道は本当に広すぎる。一度稚内で休憩をし、夜通し車を走らせて、様似町に向かうことにした。車のトランクには、利尻町でサンプリングしたオウギハクジラの標本がたっぷり載っている。

朝方、様似町に無事到着し、現場での解剖調査に参加した。解剖中に、地元のアイヌ協会の

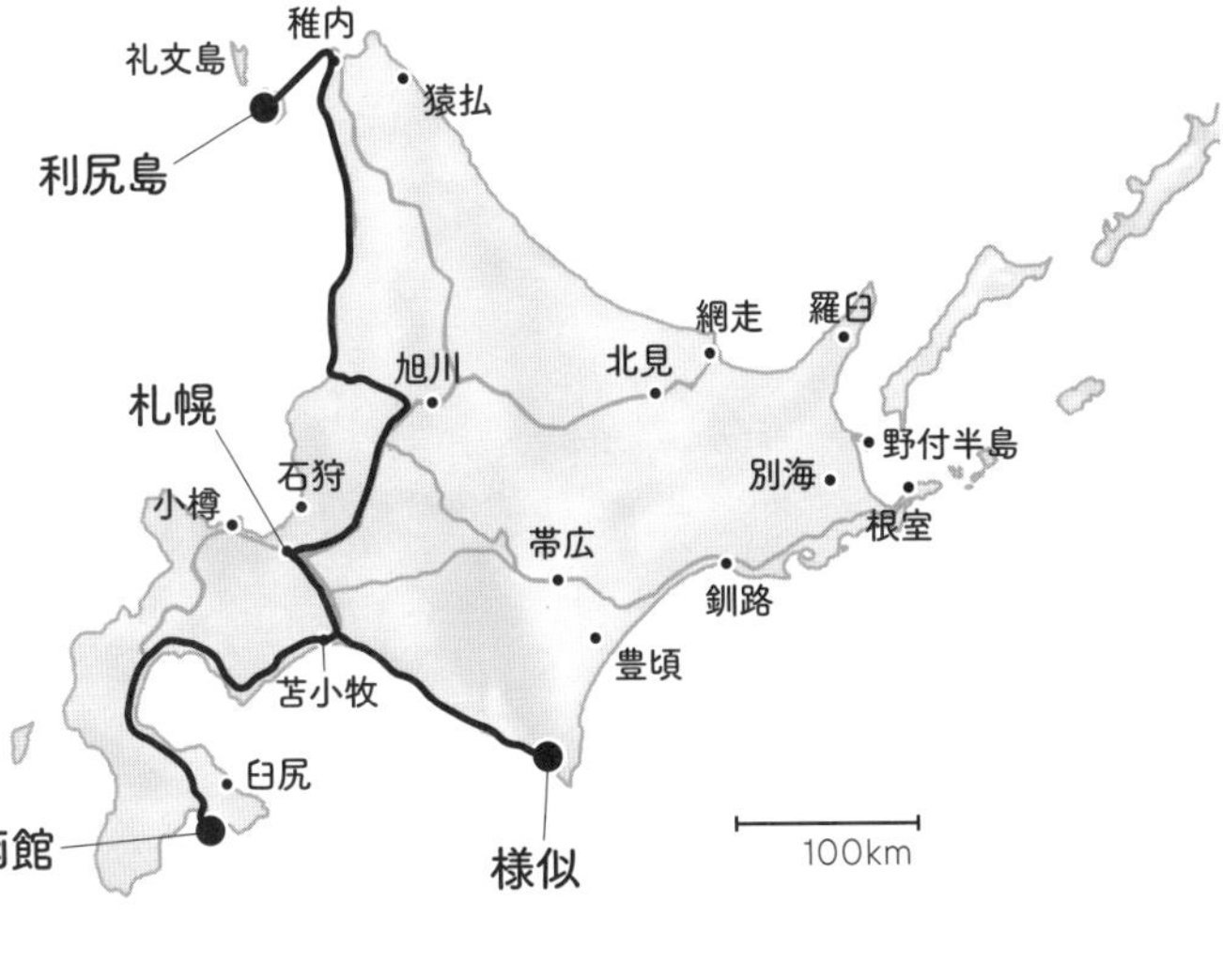

調査ルート:函館→利尻島→様似→函館

方がお祈りに来てくださった。アイヌ式のお祈りでは、クジラの身体にお酒をかけてお祈りの言葉を述べていらっしゃった。この地域ではクジラは神様であり、クジラが打ち上がることは縁起がよいことだそうだ。アイヌの人たちにとってのクジラの存在について実感し、とても興味深かった。

われわれも死んでしまったクジラにとって、せめてもの供養になるようにと、充実した調査を行った。結果的に、この個体からは3本の学術論文が発表された。それだけ貴重な個体だった。

様似町の方々も、このストランディングでわれわれとのやり取りに慣れてくださったらしく、その後もコンスタントに連絡をいただけるようになった。２０１８年8月にも様似町で新鮮なハッブスオウギハクジラが打ち上がったのだが、様似町の方からの第一報の時点で、「クジラが打ち上がりました。たぶんハッブスオウギハクジラだと思います」なんて言っていただけるようになった。町の役場の方から、ハッブスオウギハクジラという小難しい種名を言っていただけるなんて本当にすごいことだと思う。

２０１８年のときもアイヌ協会の方がお祈りに来てくださった。ちなみにその２０１８年の現場には、なんと地元の保育園の子どもたちが先生に引率されて調査現場に見学にやってきた。こんな小さな子どもたちに、5mもあるクジラの生首が転がっているような現場を見せてもよいのだろうか、とちょっとドキドキしたが、なんだか楽しんでくれていたようだ。

　引率の先生の、「ほら、クジラさんから血が流れているね！」なんていう言葉をかすかに耳にしながら、調査を行った。泣き出す子もおらず、ここの子たちは鍛えられている……なんて変に感心したりした。

ハッブスオウギハクジラの計測中（SNH18033）。

コラム

日本と捕鯨

日本における捕鯨の歴史は長い。縄文時代に形成された貝塚からイルカ・クジラの骨が多く出土しているし、壱岐《いき》島や根室でも、クジラ漁の様子を刻んだ縄文時代の捕鯨図が出土している。近世捕鯨と呼ばれるような、商業的な沿岸捕鯨の始まりは江戸時代初期である。和田義盛の一族が紀州において、簡単な武器を使って熊野灘のクジラを突いて捕る仕事を始めたそうだ。その後、海に深く潜るクジラをもっと効率的に捕るために網を用いた方法を考え、捕鯨の技術は一気に発展し、セミクジラをよく捕るようになった。セミクジラは比較的ゆっくり泳ぐので、捕鯨に向いていた。日本各地にクジラの供養塔があるが、だいたいセミクジラの碑が建てられている。クジラ一頭からは、牛などに比べるとかなり多くの肉や脂が一気に採れるので、ぜひ捕獲したいと考えていたんだろうと思う。

江戸時代後期になると、各地に鯨組と呼ばれる組織ができて、捕鯨は盛んになっていく。その頃アメリカでも遠洋航海をしながらマッコウクジラを捕ることが盛んに行われていた。鎖国時代にペリーが浦賀にやってきたのも、捕鯨船の保護のためだったと言われている。

日本が南氷洋での捕鯨に参入したのは、１９３４年のことだ。その頃は欧米各国も南氷洋での捕鯨を行っていたが、捕りすぎによって個体数の減少が不安視されるようになる。１９４８年には、国際捕鯨取締条約が発効し、その管理機関として国際捕鯨委員会（ＩＷＣ）が設立された。ＩＷＣで管理している鯨類は大型鯨類とくくられている種類で、すべてのヒゲクジラやマッコウクジラ、トックリクジラの仲間の十数種類である。ツチクジラやゴンドウ、イルカなんかは管理対象としては含まれていない。ＩＷＣでは、１９８２年に商業捕鯨モラトリアムが採択され、商業捕鯨を停止した。

日本はその後、１９８７年に商業捕鯨ではなく、鯨類捕獲調査（いわゆる調査捕鯨）を開始する。科学調査を目的としており、南氷洋と北太平洋で捕獲調査を行っていた。捕獲調査は、調査航路をあらかじめ設計し、群の中の捕獲対象個体もランダムに選ぶなど、野生集団の縮図となるように調査個体を決定する。２０１９年に、日本はＩＷＣから脱退し、日本の領海と排他的経済水域内での商業捕鯨を再開した。そのせいか、スーパーに日本近海で捕られたミンククジラの赤肉が売られているのを見ることが増えたかもしれない。映画などで有名になってしまった和歌山県太地《たいじ》町のイルカ漁は、そもそも対象が小型鯨類であり、ＩＷＣの管理している鯨類に含まれていない。捕りすぎて枯渇することがないよう、関係機関が厳密に管理を行っている。

捕鯨を巡っては、多くの考え方が存在しているが、考え方というのは人それぞれなので、対立が起こるのは仕方のないことだと思う。鯨肉を食べること自体は太古から行われてきたことだ。イルカやクジラを殺すことがかわいそうだと思う人たちがいるのも理解できる。ただ不思議に思うのは、人々の野生動物に対する考え方の変化である。シャチが漁獲物を横取りするから、シャチのことを駆除しようとがんばっていた時代だってあるのだ。今だときっと考えられないだろう。

また、クジラやイルカを資源と呼ぶ人たちがいるならば、ただの野生動物だと呼ぶ人たちがいることも納得できる。資源というのは人間の生活や産業などの活動に利用可能なもののことをいう。資源と呼んでいる以上、クジラやイルカを利用する、ということが前提にある。クジラやイルカを資源として利用するために、その管理のため、研究を行う研究者もいるだろう。そうではなく、利用するという考えはなく、ただの野生動物のことを知りたいと思い研究をする人ももちろんいる。どっちが正しいとかそういう話ではなく、考え方や物の捉え方はさまざまだということだ。

気づいてみれば、博士3年生に

　2016年はシャチの赤ちゃんの漂着が2回もあった。今までなかったのに同じ年に2件もあるなんて驚きである。1件目は釧路、2件目は礼文《れぶん》島だった。

　2件ともまだ腸に胎便が残っており、生後間もない個体だとわかった。礼文島の個体については、胃からミルクも出てきて、とても切ない気持ちになった。

　2016年はほかにもハナゴンドウが斜《しゃ》里《り》で打ち上がったり、せたな町でナガスクジラの赤ちゃんが打ち上がったりと、それ

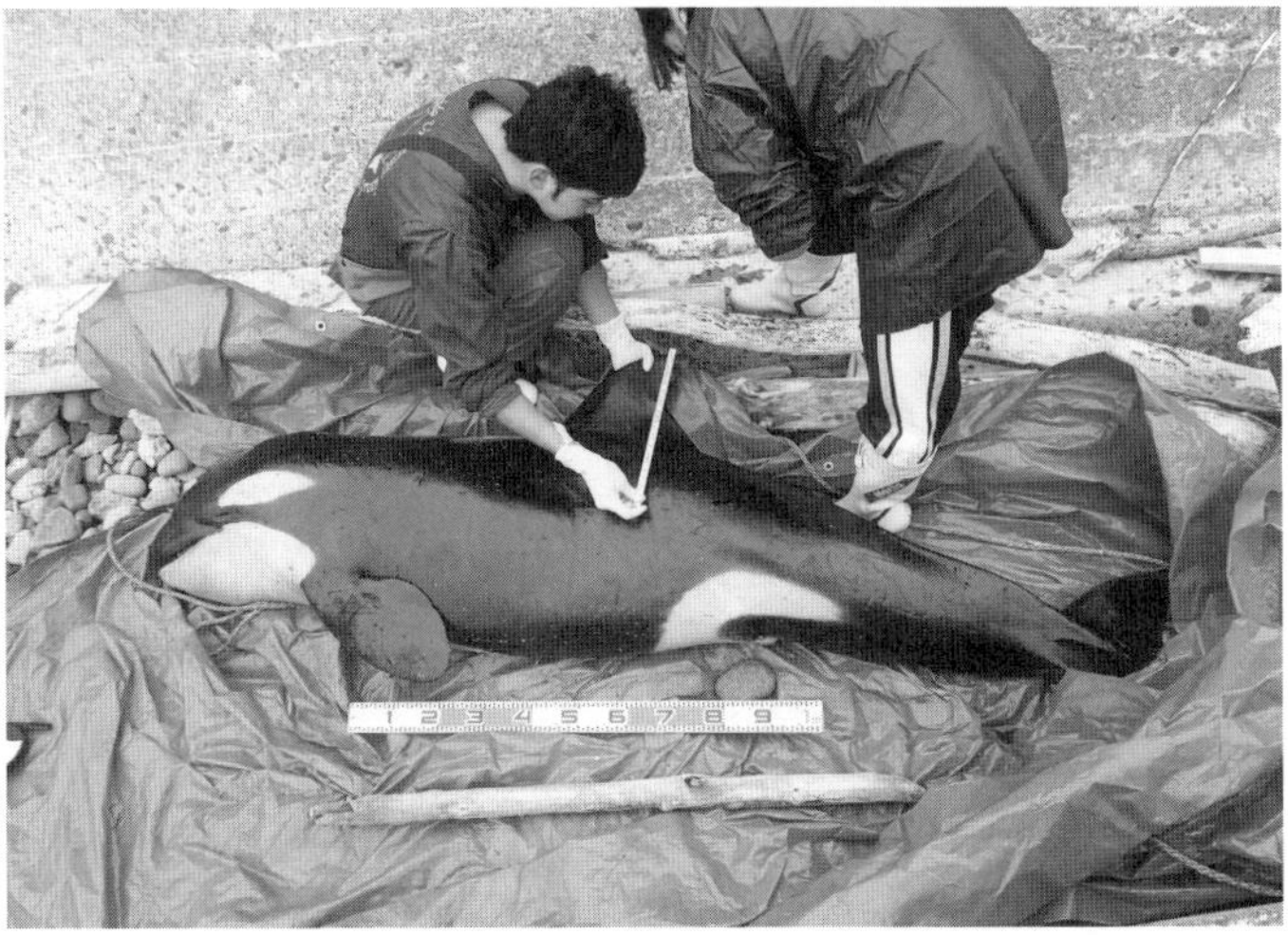

礼文島でのシャチ調査（SNH16035）。

まで経験したことのなかったストランディングが多い年だった。学部3年生の頃から参加し始め、博士3年になってもまだまだ体験していないことがある。北海道のストランディング調査はこれだからおもしろい。

そう、２０１６年、私はすでに博士3年生だった。冒頭で述べたように、博士課程は3年間である。いつの間にか博士3年にまでなってしまっていた。驚きだ。日々の流れるスピードは年々速くなっていく。

耳石とビークのサンプル収集は魚屋と市場

博士3年になるまでの間に、とてもうれしいことがあった。

本州での解剖大会に参加していたとき、私はついに、国立科学博物館の田島木綿子さんから内臓の解剖を任せていただけるまでになったのだ！　もちろんまだまだな部分が多いことは自覚しているが、「このテーブルの個体は松田さんに任せるね！」と田島さんに言われたとき、思わず胸がアツくなった。今までせっせと調査していたことを認めてもらえた気がして、自分にとても自信がもてた。

田島さんのスピードにはとてもおよばないけれど、解剖を一緒にさせてもらうたびに、いろいろ質問させていただいて、甲状腺の位置、リンパ節の位置など、本を見てもよくわからない、実際の個体を見ながらじゃないとわからないことをたくさん教えていただいた。獣医学部であれば、ウシやウマなどの解剖をしてから鯨類を見るので、同じ哺乳類の中でも何が違うのかを考察できるのだろうが、水産学部にいると魚とイカの解剖しかしないので、まぁそりゃ全体的に違うよね……としかならない。もし読者の中に動物の解剖に興味がある高校生がいれば、自分はどういう解剖をしたいのかをよく考えてみてほしいと思う。哺乳類の中のイルカ・クジラを解剖したいのであれば獣医学部に行くべきだ。私の行っている解剖（というか解体）は、どうしても付け焼刃感が否めない。

しかし田島さんや、北里大学の進藤順治先生に教えていただいたおかげで、水産学部では学べなかった哺乳類の解剖について知識を得たので、とてもありがたかった。

もちろん水産学部に来たことを後悔しているわけではない。水産学部では鯨類が暮らす海について総合的に学ぶことができる。ほかの生物と鯨類との関わりであったり、船に乗った調査があったりと水産学部ならではの鯨類の学び方ができる。また、胃内容物調査をする人間にとっては水産学部にいることが断然強みになる。なぜなら、イルカやクジラの胃から出てくるのは魚やイカだからだ。水産学部には魚やイカのあらゆるプロフェッショナルがいるので、壁にぶつかったときはそのプロフェッショナルたちに相談に行くことができる。

本州のストランディング調査にも参加することで、本州でのストランディング個体の標本も数多く集めることができた。研究を始めてから博士課程までの間に、胃内容物分析は11種類、２０７個体分行い、安定同位体比分析には12種３３３個体を用いた。種同定を行った耳石は2万９８７０個、ビークは７９６９個だ。

たくさんの耳石やビークから種同定を行ったのだが、そのために、実際にスーパーや魚屋さんで魚やイカを買い、耳石やビークを集めた。自分でリファレンスをつくって、見比べながら種同定をするためだ。

出張でほかの都道府県に行くたびに、現地のスーパーの魚コーナーをのぞくようになった。もともと水産学部の人間なので、あぁ、この辺ではこんな魚やイカが捕れるのかと、とても興味深い。

最近は魚屋さんで魚をおろしてくれることもある。魚屋さんのおっちゃんに、この魚1尾ください、と言うと、ご厚意で、「頭と内臓取ろうか！」と言っていただけるのだが、きっぱりと断る。私がほしいのは頭なのだ。

「自分で捌《さば》くのかい？」と少し驚かれ、ちょっと誇らしい気持ちになる。耳石やビークを取ったあと、身はありがたくいただくのだが、一気にたくさん買ってきてしまうことになるので、家の冷凍庫は魚やイカの身でいっぱいになったりする。今では耳石やビークを保管する場所にすら少し困り始めている。しかしコレクター本能をくすぐられるので、やめられない趣味になりつつある。

死体に刻まれた情報を読み解く

博士研究では、胃内容物の観点、安定同位体比の観点から、各小型ハクジラの食性を考察し、種間での比較も行った。かなり時間がかかった。私は結局、博士課程を半年延ばし、２０１７年の秋に卒業することになる。

博士研究を進めるにあたっては、いくつか研究助成金をいただくことができ、研究に関する金銭面での苦労はなくなった。初めて研究費が獲得できたときは、小躍りして喜んだ。キムタオルだって箱で買っていいし、出張だって夜行バスでなく飛行機で行けるのだ！

ここからは、私の博士研究で明らかになったことを少しご紹介したい。

たまにたくさんのイルカが一度に座礁してしまっている現象が、ニュースで取り上げられていることがあるかと思う。一度にたくさんのイルカが打ち上がってしまう現象を、マスストランディング（集団座礁）と呼ぶ。その原因はさまざま考えられていて、耳に入る寄生虫のせいだとか、社会性の強い種だと、群の１頭が浅瀬に迷い込んだ際、グループの全員で追いかけてしまうとか、いろいろだ。例えば、北海道であれば、流氷に閉じ込められて一度に群ごと死んでしまう、なんていうこともある。

マスストランディングの個体の食性を調査することには、とても大きな意味がある。通常の１頭だけの食性研究では、その個体のことしかわからないが、群の食性情報となると、例えば群のメンバー皆で同じ餌を食べているのか、といった群の生態を考察することができるのだ。

私は２０１３年に鹿児島県南さつま市でマスストランディングしたスジイルカと、２０１５年に茨城県鉾田市でマスストランディングしたカズハゴンドウの食性研究を担当させてもらうことができた。

胃内容物分析の結果、スジイルカたちは打ち上がる直前にはあまり餌を食べていないよ

●スジイルカ

マイルカ科スジイルカ。ほっそりした体型で細長いクチバシをもつ。外洋性で数百頭の群をつくる。

●カズハゴンドウ

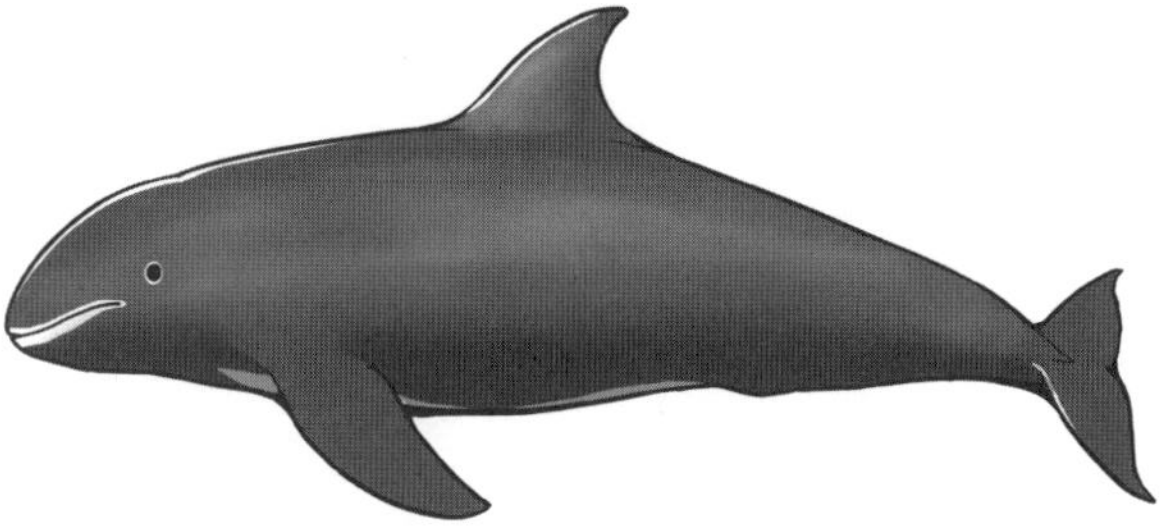

マイルカ科カズハゴンドウ。腹部と口の周りに白色の部分がある。外洋性で、数頭あるいはもっと大きな群をつくることもある。

うだったが、カズハゴンドウは死ぬ直前まで餌をしっかり食べているようだった。

餌生物としては、スジイルカは小型のヤリイカの仲間が出てきたり、ある個体からは中深層のイカが出てきたりと、あまり群でまとまって同じ餌を食べていたようには見えなかった。反対にカズハゴンドウでは、すべての個体からハダカイワシの仲間の耳石や中深層性のイカ類のビークが出現した。

安定同位体比分析の結果でも、スジイルカたちの安定同位体比分析結果はばらばらで、皆別の場所で別の餌を食べていたようだが、カズハゴンドウの安定同位体比は皆同じような値になった。

胃内容物分析と安定同位体比分析、両方の結果から、スジイルカたちはいつも同じメンバーで行動しているわけではなく、どうやらときどき場合によってメンバーが集まったり離れたりする特徴をもっていることが考えられた。反対にカズハゴンドウたちは、グループで同じ餌を利用していることから、その群は固定メンバーで構成されているのではないか、ということが考えられた。

野生のイルカの群の特徴を知るのは難しい。しかも、スジイルカやカズハゴンドウは、比較的沖のほうで生息しているので、行動観察も難しい。しかし、集団で座礁してしまった死体に刻まれた情報を読み解くことで、生前どのような行動をしていたかをなんとなく予測することができたのだ。

さしずめ、法医学的なことを、鯨類で行っているのが、ストランディング調査なのだと思う。なんらかの理由で死んでしまった個体の生前の情報を最大限引き出すということは、自己満足かもしれないが、とてもやりがいを感じる。

マスストランディング個体のみでなく、博士課程在籍中に集めた標本すべての食性解析を行った結果についてもご紹介したい。

日本周辺海域には約40種類の鯨類が生息しているが、私の博士研究ではそのうち12種類について、その食性を考察した。例えばミナミハンドウイルカやスナメリ、ネズミイルカが、沿岸域で表層から底層までの幅広い餌を利用していること、ハナゴンドウはもっぱらイカやタコが好きなこと、コビレゴンドウは沖のほうで大型のタコやイカ類を好んで食べていることなどだ。

それぞれの種の胃内容物から出てきた餌生物の重複度合を調べてみると、どの組み合わせでもほとんど重複は見られなかった。また、安定同位体比分析の結果を解析して、それぞれの生態系における地位や餌を摂る海域に重複があるかを計算したが、そちらでもほとんど重なっていないことがわかった。日本の周りで、小型ハクジラたちは、それぞれ食性に特徴があることを明らかにすることができた。

ほぼ不眠不休で論文提出

ここまで読んでくださった方にはなんとなく想像がつくかもしれないが、博士論文を切羽詰まってまとめていた頃も、もちろんストランディングは発生した。２０１７年の5月は函館でオウギハクジラが2件、連続して打ち上がった。１件目は、心苦しくもありながら、調査は頼もしい後輩たちにお願いしたが、２件目は我慢できなかった。任せられないのではない。私は調査が好きなのだ……。どうしてもオウギハクジラに触りたかった。

5月末には、松石先生をはじめ研究室の後輩たちが、みんなおたる水族館でのネズミイルカの観察に行ってしまった。そういうときに限って、ストランディングは起こる。しかも函館近郊で起こる。私しか調査する人がいないときに限って、函館でぴかぴかのカマイルカが打ち上がるのだ。私しか行く人がいないときに限って、函館でミンククジラが打ち上がるのだ。

もはやイルカやクジラたちに、博士論文を提出することを引きとめられているんじゃないかとか思ってしまったが、もっと研究して！　という応援なのかもしれないと思うことにした。

博士論文を提出する間際のことはあまりよく覚えていない。あとにも先にも、あんなに寝なかった日々はないくらい、力をふりしぼってまとめていたように思う。6月上旬、私は無事博士論文を提出した。その後博士の審査会が7月に行われる。まだまだ道のりは長い。

がしかし、審査会の前に私には大仕事があった。２０１７年6月24日、25日と、日本セトロジー研究会が札幌で開催されることになり、その実行委員に選ばれていたのだ。

3年生のときに、初めて学会というものに参加し、初めてポスター発表をした日本セトロジー研究会の大会を、博士号を取る頃には企画する側になっていた。そしてその学会では、同時開催で、ストランディングネットワーク北海道10周年記念シンポジウムを行うことになっていた。私もシンポジウムの講演者として選ばれていた。

博士課程の最後に、すばらしい機会をいただけた。自分が学生時代、ひたすらにひたむきに取り組んできた調査、研究の集大成を、北海道で、お世話になっている皆さんにお披露目できることがうれしかった。

そして2017年7月、私はついに審査会を終えた。学生時代に必死に積み上げてきた標本を用いて食性の研究を行った。博士論文のタイトルは、『日本周辺海域における小型ハクジラの食性』だ。大それたタイトルを付けてしまったが、いったん私の博士までの研究は一区切りである。大変光栄なことに、博士論文の内容については、天皇陛下ゆかりの賞までいただけることになった。これまで学会の賞などとは無縁の研究の日々だったのに（後輩たちはいろいろと学会で発表賞とかもらっていて妬んだりしていたのに）、最後の最後に大変名誉ある賞をいただけることになった。

博士論文をまとめるにあたっては、本当に多くの人に助けてもらった。指導教員の松石先生には、博士研究の内容について、本当にたくさんのコメントやアイデアをいただいていたし、タイに出張中だったのにもかかわらず、夜中電話でたたき起こして論文のチェックをしていただいたし、私のままならない文章を何度も何度も読んで添削をしていただいていた。

そもそも私の研究は標本がないと始まらないので、もとをたどっていけば、イルカやクジラの死体が砂浜に打ち上がっているのを発見して連絡をくれた方や、各市町村のイルカやクジラの死体の処分を担当されている方、これまでストランディング調査を一緒に行ってくれていた先輩同期後輩のみんなのおかげでもある。博士論文の最後のページに、お世話になったすべての方への謝辞を述べるのだが、いろんな方にお世話になりっぱなしで、私はどこにも足を向けて寝ることができない。

しかしまだまだ長い道の途中

博士の審査会が終わって2週間後、２０１７年7月22日に私は別海町《べつかいちょう》にいた。オウギハクジラのストランディングだ。オホーツク海でのオウギハクジラのストランディングはなかなか珍しい。しかもまだきれいだ。彼らの生態はまだまだ不明な点だらけ。私のやるべきことはまだまだある。

ストランディング個体というのは、誰も手を付けなければ、やっかいなゴミとして処分されてしまう。しかし、その死体を学術的に利用することで得られる情報は計り知れない。

私の博士研究で扱った種は日本周辺海域に生息する鯨類の半分にも満たないし、種によっては標本数もまだまだ足りない。オウギハクジラやハッブスオウギハクジラの胃内容物も着実に集まってきているので、まとめて解析するのが楽しみである。

　また、マッコウクジラにいたっては、ビークが14L分も出てきたりして、種同定するだけでもどれだけかかるかわからない。まだまだ未知の世界が広がっていると思うとわくわくする。

　私の行っている食性研究は、どちらかというとモニタリング研究である。胃内容物や安定同位体比の結果を積み上げていくことに意味がある。環境の変化によって食性が変化することもあるだろうし、種間での餌をめぐる競争が起きるかもしれない。

　今現在もストランディング調査を続け、

14L分のビーク。

そして食性解析を続けているが、やはりこの短い間にも変化はある。

　例えば、スジイルカという種類は北海道で打ち上がることはほとんどなかった。しかし、２０１５年に浦幌町《うらほろちょう》で打ち上がってからは、毎年、北海道太平洋側でそれなりの数の漂着報告が入るようになった。今では、６月から８月にかけて、カマイルカと同じように漂着ラッシュが起こるようになったのだ。今のところカマイルカとスジイルカの胃内容物の重複はほとんどないが、同所的、同時期に漂着数が多くなることを考えると、今後どうなるかはわからない。

　また、ネズミイルカについても、最近打ち上がる個体は、ニシンをよく食べている傾向にある。近年の北海道周辺海域におけるニシンの資源の増加の影響を受けているんだろうと考えている。

　これは、最近の変化ではないのだが、やはり海洋ゴミの影響は感じてしまう。ストランディング個体の胃を開けていると、中からゴミが出てくることが、たまにあるからだ。海洋ゴミが海洋生物に与える影響については、近年かなり注目されている。実際は１９６０年代にはミズウオが、１９７０年代には海鳥が海洋ゴミを食べてしまっていることは報告されていたし、鯨類でもストランディング個体の胃からゴミが出てくることについての報告はあった。しかし実際に自分の目で見ると、ショッキングなものである。

２０１８年に鎌倉で漂着したシロナガスクジラの調査を行ったときも、現場で胃を開けた際、ビニールが出てきてしまい、とても驚いた。まだまだ赤ちゃん個体だったのに、すでにゴミを摂取してしまっていたのだ。

北海道の漂着個体でも、種によってはゴミが出てくる。例えばカマイルカでは釣り糸や針が出てくることがある。ツチクジラやマッコウクジラでも、胃の中から大きな漁業用の針が出てくることがあるし、日本海側で漂着したオウギハクジラでは、ほぼすべての個体でゴミが出てくる。例えばビニールや園芸用の苗ポットなんかだ。最近ではシャチの胃内容物からも大きなビニールが出てきた。

ゴミを食べてしまうことが、鯨類にとってどんな影響があるのかはまだわからない。ゴミを食べたから死んだのかはわからない。彼らにとってはそんなに問題ではないのかもしれない。ただ、実際にゴミを食べてしまっていることは事実なので、現在その傾向を調査しているところだ。これも一種のモニタリングだと思う。

目に見える大きなゴミだけでなく、マイクロプラスチックという、小さなゴミも問題になっている。マイクロプラスチックとは５㎜以下の小さなプラスチック粒子のことだ。マイクロプラスチックは海洋中の汚染物質を吸着してしまうので、それを食べてしまうことで、海洋生物の体内に汚染物質が多く蓄積されてしまうのではないか、と問題になっている。

海洋ゴミに関する研究は活発になってきたところなのでわからないことが多いが、純粋にゴミを食べるのってちょっと気持ち悪いんじゃないかと思う。自分がもしビニールを食べちゃったら、と思うとぞっとする。クジラの中には、胃の部屋と部屋の通り道が狭い種類もいるので、そういう種類にとっては、ゴミが道を塞いでしまうかもしれない。

環境問題というのはなかなか難しい。

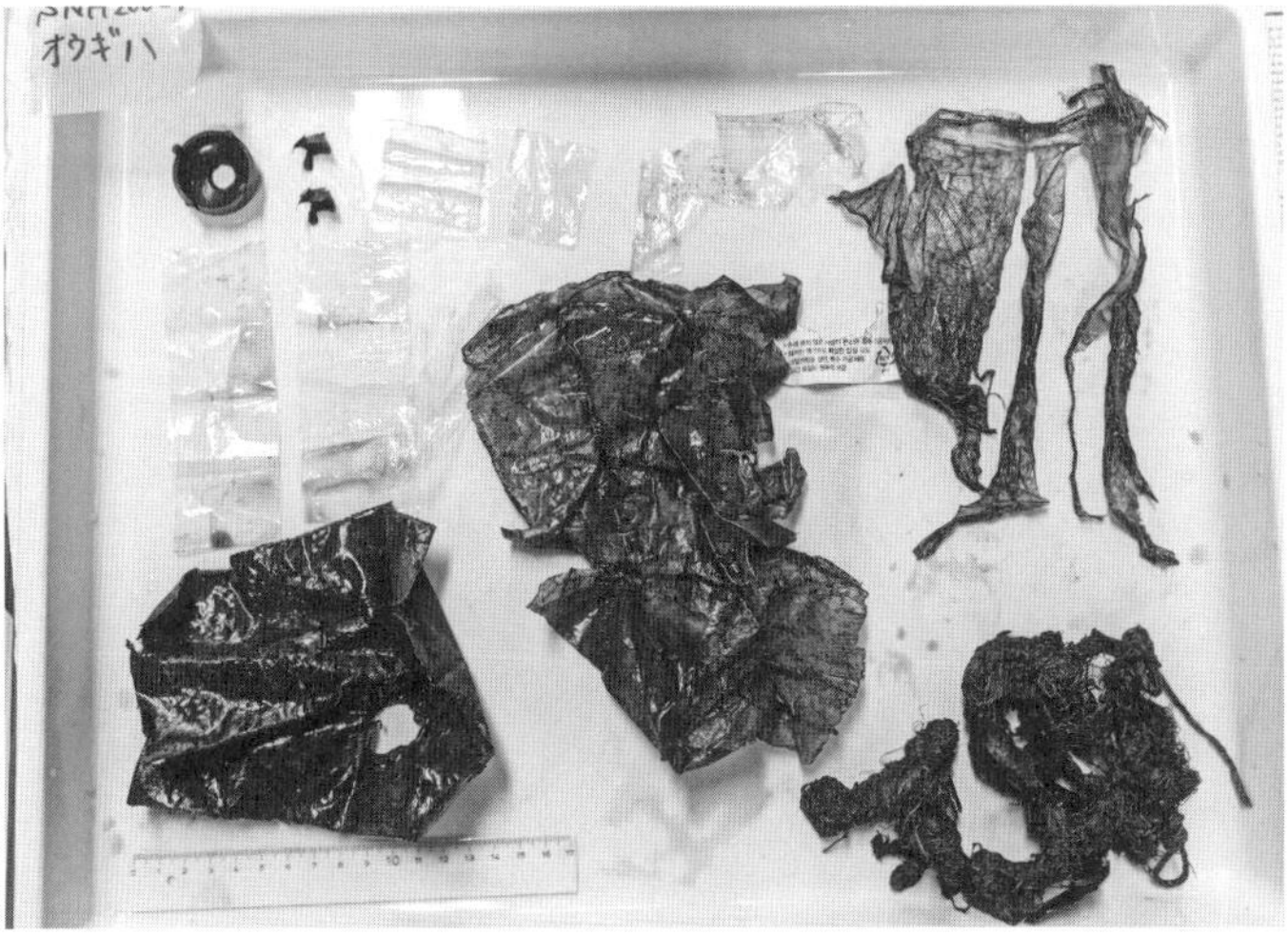

オウギハクジラの胃から出てきたゴミ。

偽善だと感じる人もいるだろう。一人一人感じることは違って当たり前なのだ。ただ、実際にクジラの胃からゴミが出てくるのを見るのはショッキングなので、私は最近ではペットボトル飲料をあまり飲まなくなった。何か意味があるのかなとは思うけど、それくらいでいいかなとも思っている。

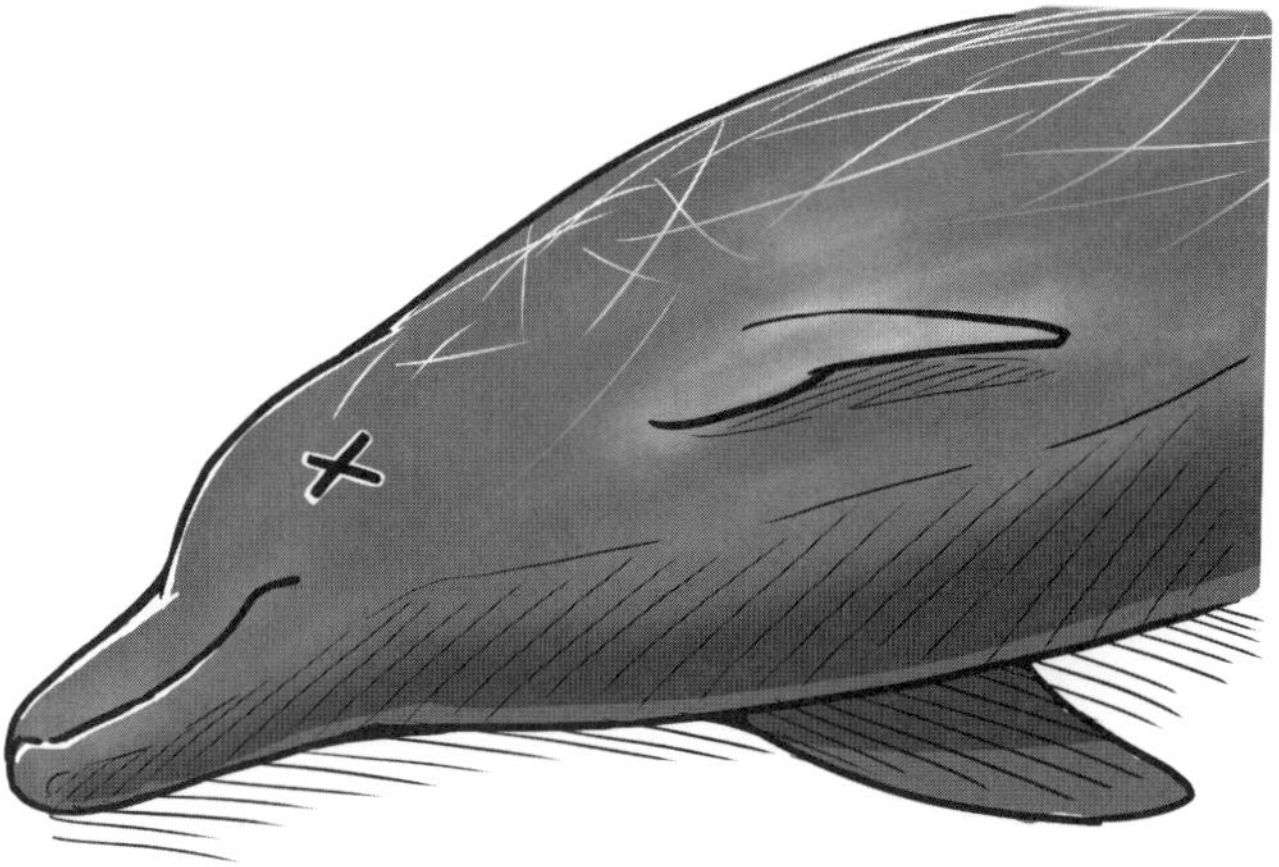

CHAPTER 6

ストランディングの研究機関をつくる

博士号を取得し、ちょっぴり北海道を離れる

博士号を取得したあと、どんな就職先があるのか、知っている人は少ないと思う。水産学部では、水産研究所や水産試験場などで、研究職に就く人が多い。環境アセスメントの会社に就職することもある。水産学部出身の博士たちは、往々にして調査のプロだ。ほかにも、ポストがあれば、大学の助教に応募することもある。ただし、大学の教員の数は決まっているので、自分が博士を出たタイミングで、自分のやりたい研究に関する大学のポストが空いているということはなかなかない。

そのほか、博士研究員（ポスドク）といって、博士取得者が任期付きで大学やそのほかの研究機関で働くということもある。大きなプロジェクトをもっている研究室で雇ってもらうなど形はさまざまだ。ポスドクだって、なかなかタイミングよくあるわけではない。

博士を取ったあとどうやって生きていこう……と悩んでいたとき、安定同位体比分析をさせていただいていた東京大学大気海洋研究所の研究室からポスドクとして働きませんかとお誘いいただけた。最先端の分析機械を用いて化学分析を行う仕事だったため、新たな

技術が獲得できると考えた。

東大に在籍していた期間は半年と短かったけど、そこで築いた関係や、取得した技術はとても重要な意味をもっている。

北大への帰還

2018年4月からは、日本学術振興会の特別研究員として北大に戻れることになった。北海道に戻ってからは、またストランディングと食性解析の日々だ。さらに東大海洋研で学んだ技術を用いて、新しい研究も始めた。

ヒゲクジラの口の中にはヒゲ板がある。

ミンククジラの口の中のヒゲ板。

ヒゲ板はわれわれにとっての髪の毛や爪と同じように、代謝せずに伸びていく。つまり、食べたものの情報がずっとたまっていく場所なのだ。そのヒゲ板の同位体比を、先端（古い）から根本（新しい）にかけて分析することで、回遊経路を推定する、という研究だ。死んでしまった個体はいったいどこから来たのかを知る手がかりになる。

これまでハクジラばかりを研究対象としてきたが、最近ではヒゲクジラの回遊経路の推定というテーマでも研究に取り組むことができている。まずは北海道で漂着したミンククジラやザトウクジラで研究を始めていたが、２０１８年に大事件が起きた。鎌倉にシロナガスクジラが漂着したのだ。

史上初のシロナガスクジラ日本漂着

シロナガスクジラが鎌倉の由比ヶ浜に漂着したのは、２０１８年8月5日、真夏のことだった。18時頃ニュースで映像が流れ、科博の山田格先生からシロナガスクジラに見えるという連絡をいただき、そして19時には、田島さんから心の準備をしておいてくださいという連絡をいただいた。シロナガスクジラの調査ができるとしたら……！　と思い心が震えた。

言わずもがな、シロナガスクジラは現存する動物の中では、地球上で最大だ。国内の事例で、科学的に確実にシロナガスクジラだといえるストランディングは今回が初めてとなる。日本国内ではかなり希少なストランディングで、たまにストランディングネットワーク北海道のメンバーで、「シロナガスがあがったりしたらやばいよね！」と話していたこともあった。今回の調査に参加しないと、シロナガスクジラのストランディング調査に参加できることなんて二度とないかもしれない。

今回鎌倉に打ち上がったシロナガスクジラの体長は10ｍで、まだ母乳を飲んでいた赤ちゃんの可能性が高い。つまり、近くの海には、まだお母さんシロナガスクジラがいるかもしれないのだ。

何があっても行くしかない！　と思い、調査の時間もまだ決まっていなかったのに、急いで始発の新幹線を予約した。ストランディング現場というのは、何があるかわからない。処分の予定によっては調査ができないことだって十分にありうる。しかし何がなんでも行きたかったので、とりあえず見切り発車で出発することにした。

函館からだと飛行機でも新幹線でも由比ヶ浜に到着する時間は変わらない。たとえ調査ができなかったとしても、シロナガスクジラを見ることができる、触れるかもしれないと思うと、新幹線の中ですでにそわそわしてしまっていた。

由比ヶ浜に着くと、あまりの暑さにクラクラした。ここは北海道とは違うんだった。函館では、8月に気温が30℃を超える日は数日しかない。朝夕は涼しくなるので、自宅にクーラーがない家がほとんどだ。太陽が照りつける中、駅から現場の砂浜を目指した。シロナガスクジラを見ようと、周囲には人だかりができていて、すぐにそこだとわかった。

砂浜には図鑑で見たとおりのシロナガスクジラが横たわっていた。しかし暑い。暑いと腐敗も速い。それだけが残念だった。現場での解体が難しいということで、個体を輸送することになった。輸送のための解体を少しだけ行うことになった。

私は8月の由比ヶ浜をなめていた。というか、知らなかった。少し動くだけで汗が噴き出す。どう汚れてもいいようにと胴長靴をはいていたので、もはやサウナスーツ状態だ。周囲の人だかりに血みどろな現場を見せるわけにはいかないので、クジラの周囲をテントとブルーシートで囲い、解体がスタートした。

シロナガスクジラは赤ちゃんとはいえ大きく、少しも切り進んでいる感触がない。汗はとめどなく流れる。臭いという感覚はすでになく、ただただ作業に没頭する。熱中症にならないために、途中途中で水分補給をするのだが、体中どろどろに汚れてしまっているので、口を開けて、ほかの人にスポーツドリンクを流し込んでもらった。

夕方頃、なんとか輸送できる段階になったので、その日の作業は終わった。翌日、輸送先で、全身骨格の回収、研究用サンプリング、内臓の調査を行った。

赤ちゃんの骨は、軟骨が多いので外すのも緊張する。経験上硬い骨だと思っているところも、やわらかく簡単に切れてしまうのだ。また、内臓も連日の暑さでだいぶ腐って溶けてしまっていた。

私は貴重なヒゲ板の分析をさせていただけることになり、シロナガスクジラの

●シロナガスクジラ

ナガスクジラ科シロナガスクジラ。体色は濃灰青色で、淡いまだら模様がある。ヒゲ板は濃黒色。外洋性だが、しばしば沿岸域や浅瀬で見られることもある。

特徴である、真っ黒いヒゲ板を1枚、もち帰ることになった。これで回遊経路がわかれば、この赤ちゃんクジラがいったいどこを通ってきたかがわかる。また、ヒゲ板はお母さんのおなかの中にいる頃からある程度形成されているので、ヒゲ板の先端の値は、お母さんの値を示していると考えられる。分析の結果、今回漂着したシロナガスクジラは岩手県沖くらいを回遊していたことが明らかになった。

そのほかにも、ＤＮＡ解析や環境汚染物質、寄生虫など多くの研究のための標本を採材した。1個体の死体ではあるが、貴重なシロナガスクジラだ。できる限りの情報を引き出したいという気持ちは関係者全員同じだった。今回のシロナガスクジラの調査チームは、各地から集まり、国立科学博物館を中心に、新江ノ島水族館、筑波大学、宇都宮大学、長崎大学、東京海洋大学、日本鯨類研究所、ソウル大学、北海道大学となった。

シロナガスクジラをたっぷり触り、感慨に浸りながら、函館への帰路に就いた。

コラム

北海道というフィールドの豊かさ

北海道に来るまで、北海道のイメージは自然豊か、だった。実際そのとおりだ。北海道は、日本海、津軽海峡、太平洋、オホーツク海と、四方を海に囲まれている。オオワシやオジロワシなど、めちゃくちゃイケメンな鳥たちが普通にいる。一番驚いたのが白鳥だ。白鳥にはとてもきれいで優雅な鳥というイメージをもっていたが、車から外を眺めていると、あまりきれいとはいえない排水路に、群になって浮かんでいたりする。また、道東へ行けば、タンチョウヅルを道端で観察することができる。

キタキツネやエゾシカなんかには、嫌っていうほど会える。北海道はサラブレッドの飼育でも有名だが、サラブレッドが放牧されている牧草地に、何食わぬ顔をしてたくさんのエゾシカが交じっていたりする。

車から見える動物としてお勧めなのが、エゾタヌキである。エゾタヌキは本州にいるタヌキの亜種だ。出会える確率はキタキツネよりもだいぶ低いが、本州のタヌキよりも丸まるとしていて、めちゃくちゃかわいい。車で走っていると、路側帯の内側を、お行儀よくテクテク歩いている姿に出会うことがある。

陸の話ばかりしてしまったが、海棲哺乳類的にも、北海道は豊かすぎるフィールドである。鰭《き》脚《きゃく》類では、キタオットセイやトド、ゴマフアザラシ、ゼニガタアザラシ、クラカケアザラシ、ワモンアザラシ、アゴヒゲアザラシが確認されている。アゴヒゲアザラシはごく稀《まれ》に流氷に乗ってやってくるらしい。

キタオットセイやトドは、日本海側で見ることが多い。トドは上陸場と呼ばれる岩に大量に上陸していたりする。キタオットセイよりもトドのほうが臆病で、近づくと逃げてしまうことが多いらしい。

おたる水族館のトドの中には、嵐の日に野外からプールにやってきた個体もいる。そのまま飼われてしまっているのだから、おたる水族館がとても気に入っているんだろう。道東の砂浜でストランディング調査をしていて、ふと海を見ると、アザラシの顔がひょっこり見えることもある。何してるの？　と興味をもって見ているのかもしれない。

北海道は鯨類も多い。ストランディングネットワーク北海道が設立された２００７年から現在までの間、セミクジラ、ナガスクジラ、ミンククジラ、ザトウクジラ、マッコウクジラ、コマッコウ、シロイルカ、ネズミイルカ、イシイルカ、スジイルカ、コビレゴンドウ、ハナゴンドウ、カマイルカ、セミイルカ、シャチ、ツチクジラ、タイヘイヨウアカボウモドキ、ハッブスオウギハクジラ、オウギハクジラ、アカボウクジラ、クロツチクジラの8科21種のストランディングがあった。

日本周辺に約40種の鯨類が生息していると考えると、その半分以上の種類が、北海道で打ち上がっているのだ。しかしそもそも、日本の周りに約40種も生息していることもすごいと思う。世界中で鯨類は全部で91種確認されているが、その約半数が日本の周りで確認されている。島国である日本だからこそと思うが、こんなにも多くの鯨類がじつは日本の周りにいることは、もっと知られてもいいのかな、と思っている。

新種クジラの記載論文に名を連ねる

現在世界で鯨類は91種類、日本の周りでは41種類確認されているが、じつは２０１９年に日本から新たな種が加わっている。修士1年のときに鼻を骨折して調査に参加できなかった、あのクロツチクジラだ。

２０１９年はなんといってもクロツチイヤーだ。9月、ついにクロツチクジラが新種として発表されることになった。漁師さんたちは以前からその存在を知っており、捕鯨対象種であるツチクジラとは区別し、クロツチやカラスという別名で呼んでいたらしい。ただ、その正体は明らかにはされていなかった。

新種として認められるためには、分子分類学的観点、形態学的観点から、明らかに既知種とは異なることを述べ、科学的に認められる必要がある。つまり、遺伝的に今までの種類と違いますよ、骨や体の特徴も今までの種類と違いますよ、と述べて、それが科学的に認められないといけないのだ。そのためにも多くの標本が必要だった。

私が貢献できたことといえば、いつもどおりストランディングしたクロツチクジラの調査を行っただけだ。クロッチっぽい個体が打ち上がれば、現場へ行き、解体調査を行い、その全身骨格を確保した。

鼻の骨を折って行けなかった修士1年のとき以外はだいたい調査に行った。クロッチクジラは体長6ｍほど。6ｍというのは意外と大きく、脂皮も厚いし筋肉量も多い。

一度私を含む学生３人だけで、けっこう新鮮なクロッチクジラのストランディング調査を行ったことがあるが、朝早くから夜までかかった。見かねた漁師さんが手伝いにも来てくださったが、その方が手伝ってくれなかったら絶対無理だったと思う。ストランディングした一個体一個体の調査結果を積み重ねることで、新種記載につながったのかと思うとなかなか胸がアツくなる。

幼い頃、漠然とクジラの研究がしたいと思っていたが、まさか自分がクジラの新種の発表に関わることができるなんて、言葉どおり夢にも思わなかった。こんなにも大きな生き物で、まだ見つかっていなかった種があったなんて、ロマンがあふれる。広い海にはまだまだわれわれ人類が知らないことがてんこ盛りのようだ。

クロッチクジラは無事新種として登録されたが、その生態はまだ不明な点だらけだ。オホーツク海でどのように暮らしているのか、それを知るためにはストランディング調査が有効だ。もちろん、胃内容物をちゃんと取っているので、何を食べて暮らしているのか、その食性調査だって進めているところだ。

ツチクジラ、破裂

2020年12月3日、羅臼《らうす》から連絡が入る。羅臼にはいつも調査に協力してくださる、スーパー漁師さんがいるのだ。重機だって動かせるし、猟師さんでもあるので、シカの解体を普段から行っており、クジラの解体のお手伝いもしてくださる。いつもストランディングネットワーク北海道を助けてくれている漁師さんだ。その漁師さんから、ツチクジラが2頭、打ち上がっているという連絡をいただいた。2頭、しかもさっきまで生きていたとのこと。私が初めて参加したストランディング調査もツチクジラ、4年生になった春休みに、ちゃんと調査ができなくて落ち込んだのもツチクジラだ。

函館から松石先生と黒田さん、学生3人を連れて現場へ向かった。調査は、国立科学博物館、帯広畜産大学も一緒に行うことになった。ツチクジラは両方メスで、1頭は875・5㎝、もう一頭は1072・2㎝だった。10mを超えると、クジラは怪獣のように感じる。

12月5日、6日と1頭ずつ解体調査を行うことになった。大包丁を使い、クジラの脂皮をむいていく。1日目に小さい個体、2日目に大きい個体を調査することになった。調査リーダーは私だ。

ぴかぴかのツチクジラに刀を入れ、解体を進めていく。高さがかなりあるので、脂皮をむくだけで重労働だ。羅臼町からも多くの方が手伝いに来てくださった。皆でせっせと脂皮をむき、筋肉を外し、肋骨を外す。胸腔が見えたので、私は文字どおり、クジラのおなかの中に入り、肺や心臓を取り出した。

続いて横隔膜を切り開き、腹腔だ。意外なほどすんなりと私はすべての臓器を取り出すことができていた。これは成長だ、と実感した。生殖腺を確認すると、体長８７５・５㎝、体重７ｔだというのに、生殖腺は未発達のようだった。この大きさでまだ未成熟なのか!!と驚きを隠せなかった。

しかし翌日、2頭目は1頭目よりはるかに大きい。体長は１０７４・２㎝、体重は13・5ｔだった。昨日の個体と違う種類なんじゃないかと思うほど印象が異なる。

いつもと同じように大包丁で切り込みを入れると、不穏な音が響いた。プシュ——

というガスが漏れる音だ。

まずい、と思ったときには遅かった。体内から腸が次から次へと飛び出てくる。いくら寒い12月の北海道とはいえ、厚さ15㎝もの脂皮を身にまとったクジラの体内の熱は、なかなか逃げない。自身の熱で、体内から腐敗が始まってしまうのだ。腐敗が進むとガスがたまり、はちきれんばかりにたまったガスは、大包丁を入れたところから噴き出てくる。

危ないからといって、焦って逃げるわけにはいかない。大包丁の刃渡りは、60㎝もあるのだ。そんな大包丁をもったまま、人がたくさんいるほうへ逃げるわけにはいかないし、大包丁を放置して、ガスでそれが吹き飛ばされたらもっと危ない。結局大包丁をしっかりともったまま、しばらくその場で耐えた。

腸の噴出が落ち着いたところで、さらに切り進めていく。1頭目と同じように進めていくのだが、体の高さがあり、向こう側がよく見えない。背中側にいる人と、大声で確認しながら調査を進めていく。

1頭目と同じようにおなかを開いていき、手が届かなくなるので、完全におなかの中に入った。真っ赤な景色が広がっていた。肋骨の付け根の怪網の美しさを間近で見てうっとりした。血が多いので少しずつ血を外に流し、臓器を引っ張り出していく。

どんどんおなかの中に入って切り進めていく私を見て、手伝いに来てくださっていた漁師さんが、「松田さん、かっこいいなぁ!!」と感心してくださり、ちょっとくすぐったい気持ちになった。漁師さんにかっこいいと言われるなんて、なかなかないのではないか。

胃を引っ張り出すとその大きさは想像以上で、身長１６５㎝の私はすっぽり中に入ってしまうくらいだった。子宮もとても大きく、中に大人が寝転がったとしても余裕があるくらいだった。

そしてなんとこの個体は妊娠していた。打ち上がった2頭は親子だったのだろうかと予想していたが、大きい個体がさらに妊娠していたとすれば、その関係性はどういうものなのだろうか。この大きなツチクジラたちが、オホーツク海でどんな暮らしを送っているのか、想像するとわくわくしてしまう。打ち上がった2個体の血縁関係については、現在共同研究者と、分析を進めているところである。

ツチクジラについては、２０２０年で完全にリベンジを果たすことができた。２０１０年に初めてツチクジラの調査を行ってから、ここまで約10年かかった。時間はかかったが、死んでしまった個体の情報を最大限引き出すことができるようになったと自負している。続けてきてよかった。

２０２０年はストランディング件数がかなり多い年だった。１年間の受報数は、96件99頭に上る。ストランディングネットワーク北海道へ通報すると、死体の調査をするらしいということが、広く知られるようになったからだと考察している。ＴｗｉｔｔｅｒやＦａｃｅｂｏｏｋへのアクセスも増えた。また、今まで現場で対応いただいた方が、きちんと後任の方に引き継いでくださっているからだとも考えている。通報をもらえないと、そもそも調査ができないので、鯨類の死体を見てストランディングネットワーク北海道に連絡しようと思ってくれたことがとてもありがたい。

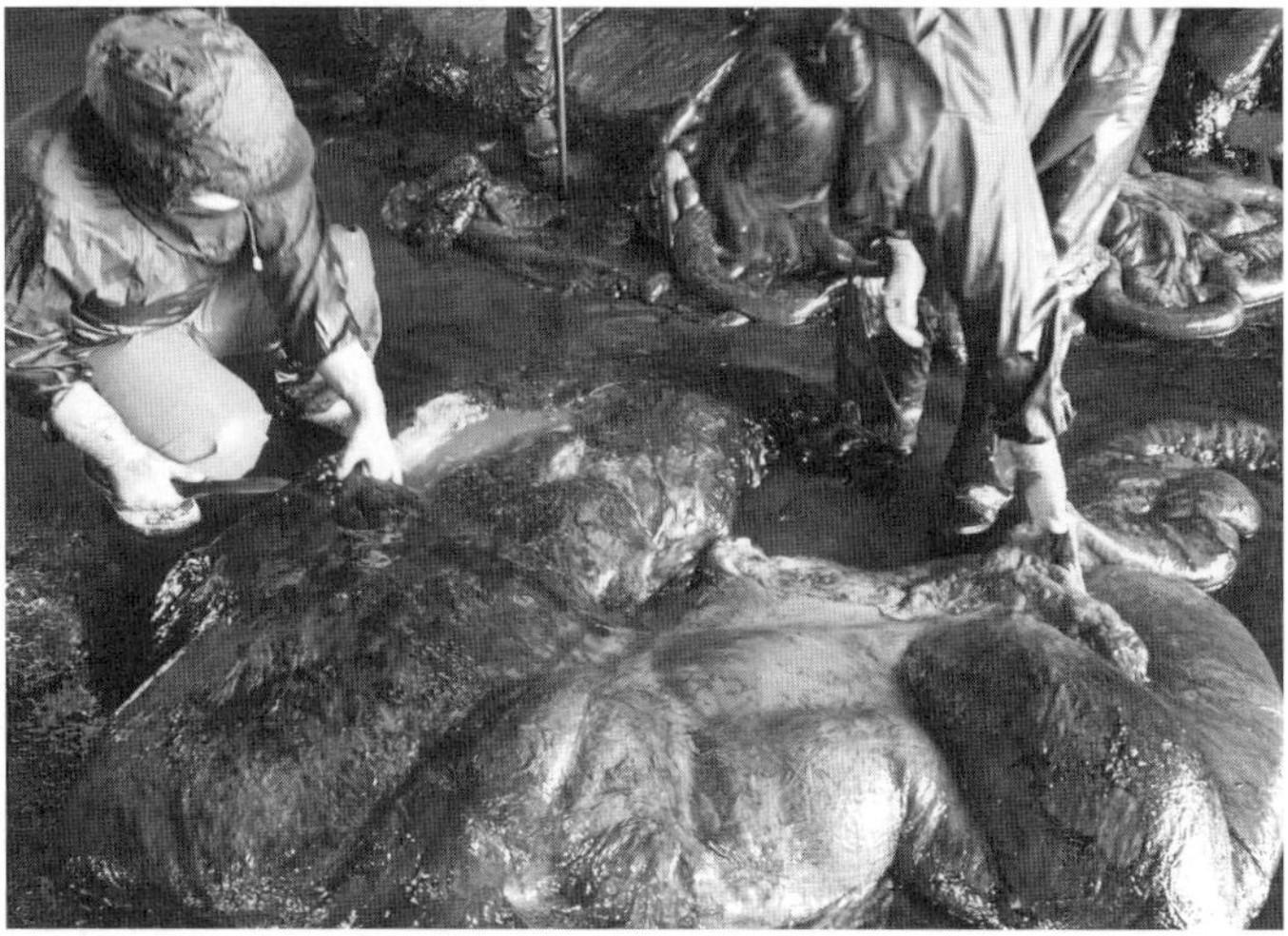

取り出したツチクジラの胃を開ける。

コラム

女性が研究者をするということ

どんな職種でもそうだと思うが、働く女性にとって、結婚や出産のタイミングというのは悩みの種だ。研究職に関していえば、学生期間が長いこと、どこで働くか未知数であることが、それらの困難に拍車をかける。博士号取得後、一番キャリアアップを図らないといけない時期が、いわゆる結婚適齢期であったり、出産適齢期であったりする。出産に関しては、少なくとも数カ月間休んでいる間に自分の研究が完全にストップしてしまうことへの恐怖は、計り知れない。

私の夫も研究者なのだが、研究者同士の結婚というのも難しい。研究者は、どこかにポストがあれば、そこに応募する。たとえ海外でも全国どこでも、だ。私は北海道でストランディング調査を続けるんだ!!　と決めていたので、北海道を離れるつもりはなかったが、夫が運よく北海道で研究職があるとは限らなかった。しかも北海道も広い。函館で二人とも、希望する研究職に就けたのは奇跡的だ。

自分が研究者としてどのように生きていくか、これまでも悩むことは多かった。研究を行っていくうえで、男女の差を感じることもある。それはフィジカルな差だ。背の高さや筋力では、どうしたって男性に及ばない。イルカやクジラのストランディング調査は体力勝負だ。とてつもなく大きな内臓を引っ張ったり、刃渡り60㎝の大包丁を使ったり、イルカの死体を運んだりする。ひょい、とイルカをもち上げる男の後輩を見て、くそう、と悔しく思うことなどいくらでもある。

　私もあれくらい力があれば、体力があれば、と思うが、こればっかりはどうしようもない。違いを認めたうえで、自分にできる方法を模索するしかない。

　主観かもしれないが日本の海棲哺乳類研究者には、なぜか女性が多い。ありがたいことに、自分のライフプランを考えているとき、悩んだとき、先輩研究者たちにたくさん相談にのってもらうことができた。3人のお子さんがいながら、ばりばり最前線で調査を行っている女性研究者だっている。赤ちゃんを連れて調査船に乗ったというのだから驚きだ。先輩の女性研究者たちを見ていると、きっとなんとかなるな、と思えてくる。女性であっても、男性であっても、性別が、自分のやりたいことを諦める理由にはならないと信じている。そして自分も、悩める後進を力づけられる存在になれたらと思う。

ストランディング研究機関への第一歩

２０２０年で私のポスドクの任期は切れてしまった。どうやって生きていくか、考えないといけない。でも私には夢があった。北海道でストランディング調査を行う研究機関をつくること、だ。その夢を諦めるつもりはさらさらない。

松石先生と協議を重ね、ストランディングネットワーク北海道を特定非営利活動法人（ＮＰＯ法人）として登録することにした。それまでは、任意団体として活動してきていたので、例えば市町村へどういう身分なのかを説明するのが少し難しかったりもした。また、任意団体では予算を取ることもなかなか難しい。ＮＰＯ法人であれば、ＮＰＯ法人向けの助成金なんかもけっこうあったりする。

とくに身分がない状況で大学に居続けることはできない。大学に居続けるためにはポスドクなりなんなりの身分が必要だが、そんなに簡単にその予算があるわけではない。そうなのであればもう自分たちで別に団体をつくってしまって、そこに所属すればいいんだと思い、ストランディングネットワーク北海道をＮＰＯ法人化することにしたのだ。

受付

しかし松石先生も私も、ＮＰＯ法人をつくったことなどない。本を読んだり、インターネットで調べたりして、どんな手続きが必要なのか、どんな書類が必要なのか、を一つずつ確認していった。ＮＰＯ法人への登録にはさまざまな事務的書類が必要になる。松石先生は事務仕事に大変長《た》けた方なので（本当に尊敬している）、比較的スムーズに書類を準備することができた。二人で振興局に相談に行って、どういう形の書類をつくる必要があるのか、アドバイスをもらった。

そして長い準備期間を経て、２０２１年から、松石先生が理事長、私が副理事長として、ＮＰＯ法人として活動することが可能となった。黒田さんをはじめ、多くのお世話になっている方々にも理事に入ってもらっている。

ＮＰＯ法人としての団体運営はまだまだ素人だし、今はさまざまな助成金に申請して、資金繰りをなんとかしようとしているところだ。この本を読んでくださった方で、ＮＰＯ法人の団体運営に詳しい方がいれば、ぜひいろいろと教えていただきたい。

ＮＰＯ法人でやりたいことはたくさんある。研究や調査だけでなく、ストランディング報告書を機関誌として発行するのもいいし、ストランディングネットワーク北海道のオリジナルグッズだってつくりたい。子どもたちへの出張授業だっていいんじゃないだろうか。

皆が住んでいる北海道というのは、クジラやイルカがたくさん生きているんだよ、と、次の世代に伝える人にもなりたい。

私の夢は、ようやく始まったところだ。

おわりに

この原稿をひととおり書き終えた今、登別からスジイルカのストランディング個体が運ばれてくることになっている。あと30分くらいしたら到着するんだろう。到着したら、いつもどおり調査をして、しっかりとサンプリングをする。今回の個体はどんな個体だろうか。

今回、書籍を書かせていただく機会を得て、研究を始めた頃から、どんな調査を行ってきたかを振り返ることができた。

まだまだ若輩者の私に、このような機会をくださり、関わってくださった皆様に心よりお礼申し上げる。そしてこれまでストランディング現場でお世話になった人々、松石先生、一緒に調査を行ってきた先輩同期後輩たち、切磋琢磨してきた友人、イルカやクジラのストランディングを最優先にする私を支えてくれている家族に心から感謝している。

これまでを振り返ることで、あぁ、あんな個体もいたな、こんな個体もいたな、と一個体一個体のことを思い出した。数えてみると、私がストランディング調査を経験したクジラの種数は30種類になっていた。日本の周りにいる鯨類は41種といわれているので、これからも新しい出会いがあることだろう。楽しみだ。それに、調査をしていていつも思うが、同じ種でも、毎回新しい発見がある。いつも違うのだ。当たり前だが、その個体がもつ情報は、その個体にしかもてない情報だ。それを心に刻んで、一個体一個体の結果を大事にしたい。まだまだこれからも勉強し、修行しないといけないし、発見を積み重ねていきたい。３６５日待ったなしで打ち上がるイルカやクジラたちに真摯に向き合いたい。

　イルカやクジラが何を食べていたか、という情報は、とても基礎的な情報だ。例えば、鯨類の汚染物質の蓄積について研究している人からすれば、その汚染物質がどのような経路で蓄積されたのか、餌から考察する必要がある。寄生虫もそうだ。寄生虫がどういうルートで鯨類まで至ったかを考えるうえで、餌生物情報は必要不可欠である。また、生態系モデリングといって、さまざまな生物の関わりをモデル化する際も、この魚とイカと、このクジラやイルカに関係がある、という情報は、食性からしか分からない。鯨類の食性情報は、ほかの研究分野に広く引用されるであろう、基礎的、教科書的知見なのだ。

　胃内容物を見ていると、餌生物であるイカや魚たちが出てきたり、プラスチックを見つけたり、まるでそれはクジラたちが生きている海洋環境の窓のようだ。世紀の大発見があるわけではないけれど、モニタリング研究として、結果を積み重ねていくことに、とてもやりがいを感じている。

これまで私は、クジラのおなかに実際に物理的に入り込んで、さまざまな標本を得てきた。いろんな研究機関で、その標本は活用されているはずだ。実際のクジラのおなかの中は、柔らかくて、血だらけで、臭くて、たまにあたたかい。それが生き物なのだ。

クジラのおなかに入って、何を食べていたのか、どんな生き方をしていたのか、生前の情報を読み解き、彼らの生きざまを調べるのが、私の人生をかけた仕事だ。

参考文献

・『海棲哺乳類大全　彼らの体と生き方に迫る』田島木綿子・山田格　総監修（緑書房）
・『キリン解剖記』郡司芽久 著（ナツメ社）
・『鯨の話』小川鼎三 著（中央公論新社）
・『北の捕鯨記』板橋守邦 著（道新選書）
・『耳石が語る魚の生い立ち：雄弁な小骨の生態学』片山知史 著（恒星社厚生閣）
・『新編 世界イカ類図鑑』奥谷喬司 著（東海大学出版部）
・『日本伝統捕鯨地域サミット 第1回 長門開催の記録』日本鯨類研究所・日本捕鯨協会 編（長門市 財団法人 日本鯨類研究所）
・『ストランディングフィールドガイド　海の哺乳類』J. R. Geraci & V. J. Lounsbury 共著（海游舎）
・『A Handbook for the identification of cephalopod beaks』Clark, M. R. (Clarendon Press)
・『Anatomy of Dolphins -Insights into Body Structure and Function-』 Cozzi B. et al. (Academic Press(Elsevier))
・『The Wild Mammals of Japan (2nd Edition)』Ohdachi S. D. et al. (ed.) (Shoukadoh Book Sellers)
・一般社団法人 日本捕鯨協会 捕鯨の歴史 (https://www.whaling.jp/history.html)
・Kubodera,T 頭足類の顎板による種査定に関するマニュアル (https://www.kahaku.go.jp/research/db/zoology/Beak-v1-3/index.html)
・List of Marine Mammal Species and Subspecies, The Society for Marine Mammalogy (https://marinemammalscience.org/science-and-publications/list-marine-mammal-species-subspecies/)
・Amano M & Kuramochi T (1992) Segregative migration of Dall's porpoise (Phocoenoides dalli) in the Sea of Japan and Sea of Okhotsk. Marine Mammal Science, 8, 143-151.
・Ferrero R C & Walker W A (1999) Age, growth, and reproductive patterns of Dall's porpoise (Phocoenoides dalli) in the central North Pacific Ocean. Marine Mammal Science, 15, 273-313.
・石川創ら (2013) 日本沿岸のストランディングレコード(1901〜2012). 下関鯨類研究室報告, 1: 1-314
・MacDonald A A & Hartman W (1983) Comparative and functional morphology of the stomach in the adult and newborn pigmy hippopotamus (Choeropsis liberiensis). Journal of morphology, 177(3), 269-276.
・Mato, Y. et al. (2001) Plastic resin pellets as a transport medium for toxic chemicals in the marine environment. Environmental science & technology, 35(2), 318-324.
・Matsuda A et al. (2020) Diet of mass-stranded striped dolphins (Stenella coeruleoalba) in southern Japan (East China Sea). Mammal Study, 46(1), 1-8.
・松田純佳ら (2011) 津軽海峡におけるカマイルカの来遊個体数推定. 日本セトロジー研究, 21: 15-18.
・松田純佳, 松石隆 (2012) 北海道におけるイシイルカ漂着個体の胃内容物について. 日本セトロジー研究, (22), 9-14.
・Minagawa M & Wada E (1984) Stepwise enrichment of 15N along food chains: further evidence and the relation between δ 15N and animal age. Geochimica et Cosmochimica Acta, 48, 1135-1140.
・Ohizumi H et al. (2000) Prey switching of Dall's porpoise Phocoenoides dalli with population decline of Japanese pilchard Sardinops melanostictus around Hokkaido, Japan. Marine Ecology Progress Series, 200, 265-275
・Peterson B J & Fry B (1987) Stable isotopes in ecosystem studies. Annual Review of Ecology and Systematics, 18(1), 293-320.
・Stranding Network Hokkaido (2021) Cetacean Stranding data in Hokkaido. Version 1.4. National Institute of Genetics, ROIS. Sampling event dataset. (https://doi.org/10.15468/f9y3xd accessed via GBIF.org on 2021-08-18.)

● 著者

松田純佳（まつだ・あやか　MATSUDA Ayaka）

1988年京都府生まれ。2017年9月に北海道大学大学院博士課程を修了。博士（水産科学）。第8回日本学術振興会育志賞を受賞。東京大学での特任研究員を経て、2018年からは北海道大学においてストランディングした鯨類の研究を続ける。所属していた研究室の松石教授とともに、ストランディングネットワーク北海道をNPO法人化。現在はその副理事長を務める。

● スタッフ

編集協力・DTP／株式会社クリエイティブ・スイート
本文デザイン／三森健太（JUNGLE）
本文イラスト／一日一種
校正／株式会社鷗来堂
編集担当／ナツメ出版企画株式会社（柳沢裕子）

クジラのおなかに入《はい》ったら

2021年 12月 3日　初版発行

著　者　松《まつ》田《だ》純《あや》佳《か》
発行者　田村正隆

発行所　株式会社ナツメ社
東京都千代田区神田神保町 1-52 ナツメ社ビル 1F（〒101-0051）
電話　03（3291）1257（代表）　FAX　03（3291）5761
振替　00130-1-58661

制　作　ナツメ出版企画株式会社
東京都千代田区神田神保町 1-52 ナツメ社ビル 3F（〒101-0051）
電話　03（3295）3921（代表）

印刷所　ラン印刷社

ISBN978-4-8163-7105-9
Printed in Japan